Le petit livre pour
Arrêter de Fumer

Bertrand Dautzenberg

Professeur de pneumologie au groupe hospitalier
Pitié Salpêtrière à Paris.

Il y a 30 ans en voyant un homme se taper avec un marteau sur le doigt, il a compris qu'il était plus important d'arrêter la frappe du marteau que de faire des radiographies du doigt ou de donner des médicaments pour traiter l'origine des coups.

De la même façon, quand un patient se « tape sur les poumons » avec de la fumée, il est plus efficace d'essayer d'arrêter la fumée plutôt que de faire des radios des poumons pour mesurer les dégâts ou essayer de guérir les infections, les BPCO et les cancers induits par le tabac.

Ainsi à coté de son travail de réanimation respiratoire, puis de prise en charge des cancers du poumon, des infections respiratoires et des BPCO, il se consacre de plus en plus à la prévention de ces maladies, prévention qui repose avant tout sur le contrôle du tabagisme.

Il préside l'Office français de prévention du tabagisme, Paris sans tabac, le réseau européen des hôpitaux sans tabac et l'alliance d'Île de France contre le tabagisme.

Pr Bertrand Dautzenberg

Le petit livre pour
Arrêter de Fumer

FIRST
Editions

Un ouvrage dirigé par Florence Le Bras
© Éditions Générales First, 2004

ISBN 2-87691-899-4
Dépôt légal : 1er trimestre 2004
Imprimé en Italie

Conception graphique : Georges Brevière

Nous nous efforçons de publier des ouvrages qui correspondent à vos attentes et votre satisfaction est pour nous une priorité.
Alors, n'hésitez pas à nous faire part de vos commentaires à :

Éditions Générales First
27, rue Cassette, 75006 Paris
Tél : 01 45 49 60 00
Fax : 01 45 49 60 01
e-mail : firstinfo@efirst.com

En avant-première, nos prochaines parutions, des résumés de tous les ouvrages du catalogue. Dialoguez en toute liberté avec nos auteurs et nos éditeurs. Tout cela et bien plus sur Internet à www.efirst.com

Introduction

Comme de nombreux fumeurs, vous avez déjà fait un pas : vous voulez arrêter de fumer.

- Cette envie peut encore être floue, vous êtes encore hésitants :
  → *ce petit livre vous aidera à choisir une date d'arrêt.*
- Vous avez décidé d'arrêter, cette fois c'est la bonne ; ce sera le 14 du mois prochain, mais vous voulez faire le point avant de faire le grand saut :
  → *ce petit livre vous aidera à préparer l'arrêt.*
- Ça y est, vous arrêtez, vous voulez surmonter les mille embûches qui vous guettent :
  → *ce petit livre vous aidera dans votre arrêt.*
- Bravo ! Vous avez arrêté ! Maintenant objectif santé, bien être, liberté et *no rechute* :
  → *ce petit livre vous aidera à ne pas rechuter.*

Entre vous et le tabac c'est plus ça. Le tabac n'a plus aucun charme, il sent de plus en plus mauvais, vous abîme de plus en plus... Vous voulez retrouver votre liberté ! Le *petit livre* est écrit pour vous et vous accompagnera tout au long de l'arrêt. Le petit livre n'est pas la méthode miracle que certains vous promettent, mais il vous aidera à construire vous-même, avec l'aide de soignants ou de votre entourage, votre « méthode en kit ». La méthode qu'il vous faut pour que vous soyez actif dans votre arrêt.

Comment lire ce livre

Ce livre est structuré en 4 parties :

Vous pouvez aller directement au chapitre qui vous intéresse, mais les autres chapitres contiennent une foule d'informations qui vous seront utiles dans tous les cas.

L'index (p.158) vous permet d'aller directement à la page qui vous intéresse pour répondre à une question.

Gardez ce compagnon d'arrêt auprès de vous tout au long de votre préparation et de votre arrêt.

Et si j'arrêtais ?

Et si j'arrêtais ?

Alors qu'en 1999, seulement un peu plus d'un fumeur sur deux déclarait son désir d'arrêter dans l'année, près de trois quarts des fumeurs ont maintenant un tel désir en France. Si vous avez ce petit livre entre les mains, c'est probablement que vous faites partie des 10 millions sur 13 millions de fumeurs qui, en France, désirent s'arrêter. Ce désir est aussi fort au Québec, également soutenu en Belgique, un peu moins en Suisse.

Il est d'autant plus fort qu'on a plus de 30 ans, il est d'autant plus fort qu'on a fait des études, il est d'autant plus fort qu'on se projette dans l'avenir.

Qu'on soit stressé, déprimé, à bout de forces, on peut se placer dans une perspective d'arrêt, même s'il faut alors en choisir judicieusement la date, à un moment où l'on commencera à remonter la pente. Ce pourra être une première victoire sur soi, vers une vie meilleure. Il est frappant, par exemple, de voir comme un grand nombre de prisonniers sont demandeurs d'arrêt du tabac.

Ce questionnement sur l'arrêt doit prendre un temps suffisant, afin de bien faire le tour de la question avant de passer à l'acte.

Un arrêt bien préparé a plus de chances d'être efficace qu'un arrêt précipité.

Il faut donner du temps au temps !

Les stades de préparation au changement

Il existe un cycle de préparation au changement décrit par deux psychologues, il y a 30 ans : Di Clemente et Prochaska. Ce cycle, décrit initialement pour la prise en charge des personnes en difficulté avec l'alcool, s'applique à tous les changements que l'on veut conduire dans sa vie.

Essayez par exemple de remplacer dans le schéma ci-dessous « tabac » par « ranger ma chambre » ou « contrôler mon alimentation ». Il est important de vous situer dans ce cercle et de respecter le cheminement.

Pourquoi avez-vous envie d'arrêter ?

Il existe de très nombreux motifs qui poussent à avoir envie d'arrêter. Il est important de les lister et de les analyser. Il ne faut pas rester à la dernière motivation, qui, même si elle apparaît essentielle, est la goutte d'eau qui fait déborder votre « vase de motivations à l'arrêt ». Au cours des années, vous avez accumulé des dizaines de raisons d'arrêter de fumer, que vous avez enfouies dans votre mémoire. Puis un jour, une dernière motivation vous pousse à passer à l'acte d'arrêt.

Passez en revue vos motivations à l'arrêt, faites-en la liste : elle vous aidera tout au cours de votre arrêt.

Vos motivations à l'arrêt

- Un enfant m'a dit que je sentais le tabac.
- J'ai été essoufflé en arrivant au quatrième étage.
- La bronchite ne veut pas s'arrêter.
- J'ai été obligé de faire 5 km pour acheter des cigarettes.
- Il y a trop d'endroits où l'on ne peut plus fumer.
- Cela revient trop cher.
- J'ai la peau grise, terne.
- Un chanteur est mort à 45 ans en jouant au tennis et après avoir fumé un gros cigare.
- J'en ai marre d'être dépendant du tabac.
- Finalement, fumer ne m'apporte rien de bien.
- J'ai lu qu'il y a des toxiques dans la fumée.

L'information :
une redoutable arme antitabac

Il est frappant de voir comment la connaissance du tabac et de ses effets est une arme remarquable contre le tabac.

À de nombreuses reprises, depuis que je travaille sur le contrôle du tabac, j'ai rencontré des créatifs préparant un CD ou une campagne de pub pour la télévision qui fumaient au début de leur travail ; sans dire un mot, ils ont presque pris la décision d'arrêter de fumer, impressionnés par ce qu'ils avaient appris. La connaissance coupe l'envie de fumer.

Si les gens fument encore avec tout ce que l'on sait sur le tabac, c'est qu'ils occultent leurs connaissances. On sait que le tabac est dangereux, mais on oublie de boucler le cercle et de réaliser que le tabac est dangereux pour soi.

Lisez des livres sur le tabac, visitez les sites Internet, téléphonez aux lignes d'écoute, regardez les émissions : tout ce que vous apprendrez sur le tabac vous aidera dans votre arrêt et vous aidera à ne pas rechuter.

« Le tabac, c'est trop bête ! »

Ce slogan est présent dans de nombreux dessins d'enfants sur le tabac. Il reflète bien la vérité de ceux qui connaissent le tabac.

Le minimum des connaissances

Il faut être informé sur le produit. La campagne de l'INPES est à ce point exemplaire :

Avis aux consommateurs
Des traces de mercure, d'acide cyanhydrique,
d'ammoniac et d'acétone
ont été décelées dans un produit
de consommation courante
**Pour en savoir plus téléphonez au
0825 309 310**

Les campagnes contre les agissements des compagnies de tabac qui sont complices de la contrebande mondiale ou qui mettent de la nicotine dans le dentifrice des enfants, en Inde, de façon qu'ils soient en manque de nicotine plus tard, dégoûtent certains d'utiliser ces produits.

**Un fumeur régulier
d'un paquet de cigarettes par jour
a une « chance » sur deux
de mourir d'une maladie liée au tabac.
En arrêtant de fumer,
on rejoint progressivement
l'espérance de vie du non-fumeur.**

La fumée du tabac : un nuage toxique

Plus de trois quarts des composés de la fumée du tabac sont aussi retrouvés dans les fumées quand on fait brûler du charbon, un produit dérivé du pétrole ou de l'essence.

La fumée du tabac (4 000 composés)

CO
hypoxie sang + muscle

Nitrosamines
irritant + cancérogène

Benzopyrène
goudron cancérogène

Dioxines
cancérogène

Polonium
radioactif
(1/2 vie > 1 000 ans)

Acroléine
irritant

Cadmium
accumulation

Nicotine
addictive

La fumée de haschisch contient presque les mêmes composés toxiques, mais le THC (tétra-hydro-cannabinol) remplace la nicotine.

Tout ce qui se fume pollue.

Origine du monoxyde de carbone (CO)

Le CO est libéré par toute combustion en déficit en oxygène. Un produit organique comme le bois, le pétrole ou le tabac libère de l'eau et du gaz carbonique (CO_2), gaz non toxique quand il brûle avec beaucoup d'oxygène qui attise le feu. En revanche, quand le feu couve et qu'il manque d'oxygène, il se produit du monoxyde de carbone ou CO, un gaz toxique.

Le CO est libéré par un feu qui couve, un moteur de voiture ou de camion mal réglé et la fumée de la cigarette ! La quantité de CO est même supérieure quand on laisse la cigarette se consumer dans le cendrier, faisant partager aux autres sa fumée.

Le CO de la fumée du tabac passe très vite dans le sang et se fixe aux globules rouges, les empêchant de transporter l'oxygène dans tout le corps.

Le CO va enfin se fixer sur tous les muscles, en particulier le muscle cardiaque. Il diminue les performances physiques des muscles périphériques et du cœur. Tous les organes sont asphyxiés.

Certains sportifs prenaient, de façon illégale, de l'EPO pour augmenter leur transport d'oxygène et augmenter leurs performances. Les fumeurs prennent, avec la fumée, du CO, qui diminue le transport d'oxygène et les rend plus poussifs !

Mesure du CO expiré

Comme on peut mesurer l'alcool dans l'air expiré chez quelqu'un qui a bu, pour estimer la quantité d'alcool présent dans le sang (alcootest), on peut mesurer le CO dans l'air expiré pour mesurer la pollution du corps par la fumée (de tabac ou de haschisch).

L'unité de mesure est le « ppm » (parties par million). Dans l'air des villes, le taux est de 2 à 4 ppm du fait de la pollution automobile. Si le taux est supérieur à 8,5 ppm, il y a alerte à la pollution. Dans les parkings souterrains, à 35 ppm, les systèmes d'épuration et de mise en alerte se déclenchent.

Chez les fumeurs, le taux varie beaucoup avec la façon de fumer, mais on peut retenir que le taux d'environ 3 ppm chez le non-fumeur monte de 1 ppm par cigarette fumée par 24 heures. C'est-à-dire qu'en fumant 5 cigarettes par jour, on atteint dans son poumon le niveau européen d'alerte à la pollution des villes.

En fumant un peu plus de 30 cigarettes, le fumeur déclencherait, avec son air expiré, les alertes à la pollution dans les parkings souterrains.

Il faut attendre 6 heures pour que la moitié du CO s'élimine du corps.

Définitivement, fumer, c'est se polluer !

Origine des goudrons de la fumée du tabac

Les goudrons libérés par la combustion du tabac sont des irritants, mais surtout de puissants agents cancérogènes et mutagènes.

Toutes les organisations internationales comme le Centre international de recherche sur le cancer ou le Bureau international du travail classent la fumée du tabac comme un agent cancérogène, qu'il s'agisse de la fumée prise par le fumeur ou de la fumée qui se libère dans l'environnement.

Quand la cigarette se consume, il est bien démontré que la fumée du tabac est responsable de cancer chez les non-fumeurs ou chez les animaux de compagnie, chats ou chiens, vivant chez des fumeurs.

En arrêtant d'allumer vos cigarettes, vous vous protégerez vous-même, mais vous éviterez aussi de polluer votre entourage avec ces substances cancérogènes.

Action des goudrons

Les goudrons sont des irritants.

Mais ils agissent principalement sur notre patrimoine génétique, qu'ils altèrent directement en créant des mutations et indirectement en altérant les mécanismes de protection que nous possédons pour nous défendre des cancers.

Un des plus formidables mécanismes de défense contre le cancer que l'homme possède est le système de la « protéine P 53 ». Ce système permet de réparer beaucoup de mutations de nos chromosomes.

La fumée du tabac altère ce système de défense naturel contre le cancer. La fumée du tabac, comme toutes les autres substances cancérogènes de l'environnement, devient plus dangereuse pour vous.

Décidément, cette fumée de tabac n'est pas sympa !

La nicotine : un produit chimique

La nicotine est une substance chimique spécifique au tabac. Elle appartient à la famille des alcaloïdes, comme beaucoup de drogues. Elle a sur le corps quelques effets positifs et de nombreux effets négatifs.

La nicotine est la principale cause de la dépendance à la cigarette.

Les 2 principaux problèmes liés à la nicotine sont les suivants :

On ne prend pas de la nicotine pure en fumant.

Votre corps reçoit en même temps des milliers de substances de la fumée du tabac, qui brûlent et détruisent votre corps à petit feu.

La nicotine est très addictive.

Après quelque temps d'utilisation, le fumeur devient « accroché » à la nicotine. Vous avez du mal à rester une semaine sans en prendre : vous êtes dépendant. Si la nicotine ne créait pas la dépendance, le marché du tabac s'effondrerait, et vous-même ne fumeriez que de temps en temps. Mais le tabac est pour vous, comme pour plus d'un milliard de consommateurs, une drogue : vous êtes accroché, « addict ».

Action de la nicotine sur le corps

La nicotine agit directement sur le cerveau au niveau d'une région liée au plaisir, le noyau accumbens.

La nicotine que l'on respire va très vite au cerveau : 7 secondes des lèvres au cerveau. Ainsi, un fumeur de 20 cigarettes par jour, prenant 15 bouffées par cigarettes, s'envoie 300 shoots de nicotine par jour. Une telle avalanche de shoots modifie le cerveau.

Sous les shoots répétés de nicotine, les récepteurs à la nicotine vont se multiplier, mais dans le même temps devenir de moins en moins sensibles : c'est la fuite en avant pour avoir toujours plus de nicotine durant les premières années de tabagisme.

Après quelques années, la quantité de nicotine nécessaire à satisfaire les récepteurs va se stabiliser et le fumeur va trouver sa consommation de croisière, qu'il gardera le plus souvent toute sa vie.

Même s'il arrête de fumer durant plusieurs années, le fumeur retrouvera son niveau de besoin de nicotine, s'il rechute.

La nicotine : une drogue dure !

La nicotine ne perturbe que peu la vie sociale contrairement à d'autres substances psychoactives.

Le fumeur n'a pas d'ivresse au tabac.

On peut être fumeur et parfaitement inséré dans la société. On peut être fumeur et PDG, ministre, chômeur ou SDF. Le tabac est une drogue sans action psychoactive désocialisante.

Cela n'empêche pas le tabac d'être une drogue dure. Le tabac est avec la cocaïne et l'héroïne une des trois drogues qui accrochent le plus, (qui sont les plus addictives).

Il est plus difficile de se défaire du tabac que de se défaire du cannabis, de l'ecstasy ou de l'alcool.

Pourcentage de dépendance à différentes substances

Dépendance	Héroïne	Cocaïne	Alcool	Cannabis	Tabac
Absente	18 %	14 %	47 %	49 %	13 %
Faible	9 %	10 %	14 %	18 %	27 %
Moyenne	9 %	19 %	12 %	13 %	40 %
Forte	64 %	57 %	27 %	20 %	20 %

Dioxine, cadmium, nitrosamines & co

La **dioxine** est présente en infime quantité dans la fumée de cigarette. Cette substance, à l'origine de toutes les directives européennes de gestion des matières dangereuses dites « Seveso », est toxique pour une prise quotidienne de millièmes, de millièmes de grammes depuis l'air, l'eau ou le lait. L'ensemble des cigarettes fumées en France libère dans l'atmosphère une quantité de dioxine voisine de celle des sites industriels classés Seveso. Malgré cela, il y en a qui portent encore la cigarette aux lèvres pour en aspirer la fumée !

Le **cadmium** est un métal lourd qui, entré dans le corps, met en moyenne 70 ans pour en sortir : autant dire qu'il n'en sort pas. Les fumeurs ont parfois dans le sang des taux de cadmium qui rendraient inapte un ouvrier d'une usine polluante utilisant du cadmium ! Plus on arrête de fumer tôt, mieux c'est.

Les **nitrosamines** sont des cancérogènes présents dans le tabac, même si on ne le fait pas brûler. Elles sont incriminées en particulier dans les cancers de la bouche des Américains qui chiquent toute la journée du tabac.

Donnez du bon air à votre poumon, il le réclame !

Autres composés

Plus de 4 000 composés sont identifiés dans la fumée du tabac, dont une soixantaine de cancérogènes et de nombreux toxiques.

- Les harmanes sont des substances qui ont probablement un effet addictif comme la nicotine. En effet, si la nicotine est le principal agent chimique de la fumée responsable de la dépendance, ce n'est pas le seul.
- Les acroléines sont de puissants irritants.
- Mercure, acide cyanhydrique, ammoniac et acétone sont présents à l'état de traces.

Globalement, la composition de la fumée du tabac n'est pas très différente de celle de la composition de la combustion d'autres produits organiques comme l'essence, que l'on fait brûler dans les moteurs des voitures et dont on essaye de diminuer les effets nocifs par des pots d'échappement catalytiques.

Le pot d'échappement de votre cigarette, c'est votre poumon !

La cigarette roulée est encore plus toxique

Contrairement aux cigarettes industrielles, le tabac à rouler ne fait pas l'objet de contrôles systématiques des gouvernements.

Les industriels disent qu'en absence de normes pour rouler les cigarettes, on ne peut faire de mesure.

En France, le tabac à rouler a, en partie, échappé aux hausses des prix et les rattrapages sont insuffisants. C'est maintenant un mode de consommation important chez les jeunes. Près de 8 % du tabac vendu en France est du tabac à rouler.

Si on roule ses cigarettes à la main, on met un peu moins de tabac que dans une cigarette industriellement roulée, mais les tabacs à rouler sont 4 fois plus toxiques en moyenne que le tabac des cigarettes industrielles. À l'arrivée, la cigarette roulée libère donc 2 fois plus de toxiques qu'une cigarette industrielle.

Rouler, c'est se faire rouler encore plus !

Il n'y a pas de tabac non toxique

Depuis que l'on sait de façon indiscutable que le tabac n'est pas une plante médicinale, mais un produit toxique et polluant, les industriels du tabac ont essayé de faire des cigarettes moins toxiques afin d'éviter que leurs clients ne meurent en trop grand nombre.

Après 50 ans de recherche, l'échec est démontré : il n'y a que des fausses solutions.

Cigarettes light, ultralights : une tromperie !

Avant que la mention soit interdite, il avait été démontré qu'en réglant les machines à fumer, non pas selon la norme industrielle, mais comme un fumeur moyen, il y avait :

- 2 fois plus de CO, de goudron et de nicotine dans les cigarettes normales,
- 3 fois plus dans les « légères »,
- 5 fois plus dans les « ultralégères ».

La supercherie de l'usage de ces dénominations est maintenant interdite en Europe.

Fausses solutions pour se protéger

- **Prendre des cigarettes pauvres en goudron et nicotine**

  Peine perdue : ces cigarettes sont légères pour les machines à fumer, pas pour le fumeur qui va boucher le filtre et tirer plus profondément sur la cigarette pour prendre la même dose de nicotine.

- **Réduire sa consommation de 30 à 10 cigarettes**

  Peine perdue : en tirant plus sur sa cigarette, on peut prendre 10 fois plus de nicotine ; réduire le nombre de cigarettes est illusoire.

- **Passer de la cigarette aux cigarillos**

  S'il est vrai que les fumeurs exclusifs de cigares ont un excès de mortalité lié au tabac un peu moins important que les fumeurs de cigarettes, les fumeurs de cigarettes qui passent aux cigares les fument comme des cigarettes et ont les mêmes risques que quand ils fumaient des cigarettes.

Toutes les formes de tabac vous tuent.

Rechercher un mode de fumer moins toxique est une illusion entretenue par les désinformateurs à la solde de l'industrie du tabac qui ont pour seul but de protéger un marché.

L'image du tabac est en train de changer

Les efforts faits par l'industrie du tabac pour faire du statut fumeur une norme sociale ont été considérables. Tout a été fait pour recruter de nouveaux fumeurs, de plus en plus jeunes :

- ainsi, en 2003, on peut trouver en Espagne une publicité dirigée vers les jeunes : maintenant, en fumant les cigarettes F…, « Vous offrez 0,7 % à une organisation humanitaire » ;
- ainsi, les jeunes enfants indiens se brossent les dents avec un dentifrice à la nicotine destiné (soi-disant) à désinfecter les gencives, mais qui, en fait, crée dès le plus jeune âge une dépendance. En effet, plus tôt on devient accroché à la nicotine, plus vite on sera dépendant. Si vous avez commencé à fumer à 15 ans, vous courez de forts risques d'être très accro.

http://www.inpes.sante.fr/Barometres/Baro2000/pdf/tabac.pdf

Dès 45 ans les ex-fumeurs sont majoritaires

L'INSEE a montré que depuis 2000, il y a plus d'ex-fumeurs que de fumeurs chez les hommes en France.

La norme sociale n'est plus d'être fumeur, mais c'est d'être non-fumeur ou ex-fumeur.

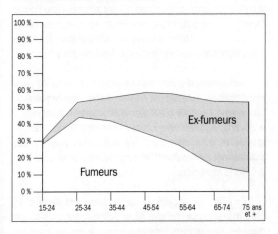

Chez la femme, selon les prévisions, le taux d'ex-fumeuses ne va monter au-dessus du taux des fumeuses que dans quelques années.

Le tabac n'est plus « classe »

Après l'invention des cigarettes en 1850, la consommation de tabac dans le monde est restée relativement confidentielle jusqu'en 1944. C'est après la guerre que la consommation a explosé, avec le développement des grandes compagnies de tabac qui ont imposé « une norme "fumeur" ». La publicité avec d'énormes investissements a imposé cette norme « fumeur », d'abord chez les hommes, puis chez les adolescents, puis chez les femmes.

Timidement d'abord, puis de façon forte dans les pays industrialisés, le tabac est en train d'être « dénormalisé ». La « norme » sociale n'est plus d'être fumeur. Alors qu'il y a 30 ans, il fallait être fumeur pour être admis dans le groupe et pour aller dans les clubs distingués, il est maintenant préférable d'être non-fumeur pour être intégré dans la société.

En effet, en société, le fait de fumer est de plus en plus ressenti comme une gêne : on ne peut plus fumer dans les avions, dans les trains à grande vitesse, dans les transports, dans les cafétérias d'entreprise, au travail, et peut-être chez vous à la demande des autres.

**En bref, devenir non-fumeur va vous simplifier
la vie en société !**

Les marques captivent toujours

La puissance des marques de tabac est considérable. Les marques et leur signalétique est tellement forte que quand le nom des marques disparaît par exemple durant le grand prix de France de Formule 1, les téléspectateurs ne voient même pas que les noms de marques sont masqués et dit sans hésiter que Schumacher roule pour Marlboro.

Chez les jeunes, l'initiation au tabagisme est autant l'initiation à une marque. L'image très forte de chacune des marques nous accroche. Quitter le tabac va aussi être quitter une marque.

Si on vous montre...
- un rouge : vous l'assimilez à Marlboro,
- un bleu : vous l'assimilez à Gauloise,
- un jaune : vous l'assimilez à Camel.

Il n'y a pas beaucoup de produits pour lesquels la simple évocation d'une couleur s'imprime immédiatement dans votre inconscient comme une marque.

Malgré l'interdiction de la publicité et de la promotion depuis 15 ans en France, ces codes de marques restent très forts. Il faut laisser votre cerveau en éveil et vous débarrasser de ces images.

Le tabac coûte de plus en plus cher

Les États, pour protéger la santé publique, suivent la recommandation de l'OMS, qui est d'augmenter de façon importante et répétée les taxes sur le tabac (en plus, c'est bon pour l'équilibre du budget).

Acheter 5 euros un paquet de cigarettes conduit à une dépense de 150 euros par mois ou 1 800 euros par an. De quoi se payer 2 semaines de vacances aux Seychelles !

Et vous, avez-vous déjà calculé combien vous coûtent les cigarettes ? Avez-vous pensé à ce que vous pourriez faire avec cet argent ?

Mes dépenses tabac	Mes projets alternatifs avec cet argent
En une semaine ? ➡	
En un mois ? ➡	
En un an ? ➡	

Une industrie mondiale qui cherche son profit

L'industrie mondiale du tabac est une industrie superpuissante, dont les budgets sont supérieurs à ceux de beaucoup d'États.

Dans beaucoup de pays en voie de développement, il existe une corruption des décideurs. Les pays développés n'en sont pas exempts. Les partis politiques aux États-Unis, en Allemagne et dans beaucoup d'autres pays sont financés par l'industrie du tabac.

Au départ de l'usine, un tiers de la production mondiale n'est destiné à aucun pays (donc à la contrebande).

L'industrie poursuit ses efforts de désinformation dans les pays qui n'ont pas les moyens de répondre : ils payent des chercheurs pour dire que le tabagisme passif n'existe pas, ils font de fausses campagnes de prévention du tabagisme vers les jeunes qui disent : « Ne fumez pas, c'est un choix d'adulte » (comme les jeunes veulent être adultes, cela les pousse en fait à fumer), ils payent les stars pour fumer en public et dans les films (500 000 dollars pour Stallone pour fumer dans 5 films : c'est que cela rapporte autant !).

Effets respiratoires non cancérogènes

La fumée du tabac, bien plus que la pollution, est une des principales causes d'agression respiratoire.

Sur les grosses bronches, une bouffée de cigarette paralyse les microcils qui tapissent les bronches, quelques cigarettes et les glandes se mettent à sécréter plus de mucus.

Les sécrétions deviennent de plus en plus abondantes et les microcils, de moins en moins efficaces. La toux devient le moyen d'évacuer les sécrétions. Elle est particulièrement fréquente après une nuit ou lors d'un effort.

Le tabac anesthésie en partie les voies respiratoires en leur faisant accepter un excès de mucus et de crachats dans les bronches, avec une modération de la toux. Dès l'arrêt du tabac, la sensibilité des voies respiratoires revient et beaucoup de fumeurs éprouvent une accentuation de la toux durant la phase où le poumon se nettoie de tous les polluants accumulés par des années de tabagisme.

Sur les petites bronches, la fumée du tabac provoque une inflammation qui va progressivement les obstruer en entraînant une BPCO (bronchopneumopathie chronique obstructive). L'atteinte de ces petites bronches conduit à une dilatation des poumons que les médecins appellent l'emphysème.

Effets respiratoires cancérogènes

Les substances cancérogènes de la fumée vont provoquer différents types de cancers du poumon. Utiliser des filtres, des cigarettes pauvres en goudron ou ne fumer que la moitié de sa cigarette n'y change rien.

Tout ce que l'on fume est cancérogène.

La durée d'exposition à la fumée est le facteur majeur du risque respiratoire du tabac. Plus vous aurez fumé longtemps, plus le risque qui vous guette est élevé.

Mais rassurez-vous, **en arrêtant de fumer**, votre risque de cancer diminuera, même si cette baisse est plus lente que les bénéfices cardiaques.

Le risque de cancer du poumon mettra 15 ans pour rejoindre un risque voisin de celui du non-fumeur, mais après 3 ans d'arrêt, le risque est déjà réduit de moitié.

En ce qui concerne la **perte du souffle**, on ne peut espérer de retour à la normale, mais on stoppe net l'inexorable aggravation du souffle de ceux qui continuent à fumer, insuffisance les conduisant au handicap respiratoire et à son lot de souffrance. La toux, après une phase d'aggravation, va diminuer, augmentant parfois considérablement le confort respiratoire. Quel que soit l'état actuel de vos poumons, en très bon état ou déjà dégradés, il y a un grand bénéfice pour l'avenir à arrêter de fumer.

Effets cardiovasculaires du tabac

Le tabac altère le système cardio-vasculaire par différents mécanismes.

La fumée du tabac altère progressivement la paroi des artères, favorisant l'athérosclérose qui va rigidifier, puis rétrécir les artères. Le processus est long à s'installer mais arrête d'évoluer si l'on arrête de fumer. Ce rétrécissement des artères va être responsable d'angines de poitrine, de douleurs à l'effort dans les jambes, de troubles du fonctionnement du cerveau. Les causes de cette athérosclérose sont multiples, le tabac étant, à côté du cholestérol et des autres troubles lipidiques, du diabète, de l'hypertension artérielle et du stress, un des facteurs de risque.

La fumée du tabac par le CO qu'elle contient prive le sang d'oxygène touchant ainsi tous les organes. À l'arrêt du tabac, la récupération est immédiate. Dès le lendemain ou le surlendemain de l'arrêt, l'organisme est lavé du CO qu'il contenait : c'est un bénéfice ultra rapide de l'arrêt du tabac.

La fumée du tabac provoque spasmes des artères et thrombose, qui obstrue les artères, provoquant gangrène des pieds, infarctus du myocarde ou accident vasculaire cérébral avec hémiplégie, coma, cécité ou autres troubles.

Effets cardiovasculaires : bénéfice de l'arrêt

Contrairement aux effets respiratoires, les bénéfices de l'arrêt du tabac sont très rapides. Dès la semaine qui suit l'arrêt du tabac, le risque s'effondre.

Les bénéfices immédiats de l'arrêt du tabac ont été ainsi confirmés l'an dernier dans un canton américain où le tabagisme a été prohibé durant 6 mois. Bilan : dès le premier mois, et durant 6 mois, baisse de 60 % des décès par infarctus du myocarde. Un taux qui, malheureusement, reviendra au risque antérieur à l'arrêt de la mesure.

Une semaine après l'arrêt du tabac, le pouls se normalise, le cœur est bien oxygéné car totalement débarrassé du CO.

Le risque d'accident vasculaire cérébral ou d'infarctus est grandement diminué.

Le bénéfice est tellement important que l'agence du médicament français, qui avait jusqu'à l'an dernier une certaine réticence à l'utilisation des substituts nicotiniques juste après un infarctus du myocarde, en fait maintenant une indication.

Effets sexuels chez l'homme

La fumée du tabac a des effets sur les fonctions sexuelles et de reproduction de l'homme et de la femme.

On retrouve 80 % de fumeurs chez les hommes atteints d'impuissance d'origine vasculaire. L'impuissance liée au tabagisme est un fait bien établi. Les avertissements sanitaires posés sur les paquets de cigarettes s'en font écho, lisez-les.

Le nombre des spermatozoïdes produits est diminué, et la qualité du sperme est moins bonne chez les fumeurs. Les spermatozoïdes ont plus d'anomalies, moins de mobilité, ce qui explique une moindre fertilité du fumeur.

Il existe par ailleurs des mutations dans les chromosomes qui seront transmis à l'enfant à naître, ce qui explique le léger excès de leucémie et de cancer du jeune enfant conçu par un père fumeur.

Avoir le projet de concevoir un enfant est un merveilleux motif pour l'homme de s'arrêter de fumer.

Les héros ne fument plus !

Effets sur la reproduction chez la femme

Chez la femme, la fumée du tabac diminue la fertilité. Cette diminution de la fertilité a été particulièrement étudiée chez les mères devant avoir recours à la fécondation in vitro (FIV) : 5 fois moins de chances de succès d'une implantation chez la femme qui fume !

Avoir le projet de concevoir un enfant, c'est une merveilleuse raison d'arrêter de fumer chez la femme comme chez l'homme !

De plus, si la femme continue à fumer durant les premiers mois de grossesse, il existe un risque accru de malformation à type de bec de lièvre. Mais le risque maximal est rencontré si la femme continue à fumer après la fin du troisième mois. L'enfant sera en permanence intoxiqué par le monoxyde de carbone présent dans la fumée de cigarette. Ce gaz l'asphyxie. Le bébé à naître sera de faible poids.

Ce serait vraiment un mauvais cadeau de naissance que de se remettre à fumer après la naissance !

Tabac et pilule font mauvais ménage. L'association des deux augmente le risque d'accident vasculaire cérébral, et cela d'autant plus que l'âge avance.

Effets digestifs et urinaires du tabac

Sur l'appareil digestif, la fumée du tabac exerce ses effets toxiques. La fumée du tabac attaque les dents, la langue et les voies digestives autres. Elle irrite l'œsophage, provoquant œsophagite et excès de cancer. Elle agit également sur l'estomac, provoquant gastrite et ulcère.

La fumée du tabac augmente également le risque de cancer du pancréas.

La nicotine a un effet sur le tube digestif, l'intestin grêle et le côlon en modifiant la motricité intestinale.

Sur le rein, la fumée du tabac augmente le risque de cancer.

Dans la vessie, les produits toxiques du tabac qui ont été filtrés du sang vers l'urine sont stockés entre 2 mictions.

La longue stagnation des produits toxiques dans la vessie explique que plus d'un tiers des cancers de la vessie soient liés au tabac.

Tous les recoins de l'organisme sont touchés par la fumée malgré les efforts de votre corps pour les éliminer.

Effets du tabac sur les infections

Les fumeurs ont plus de globules blancs dans le sang que les non-fumeurs, plus de macrophages dans les alvéoles pulmonaires que les non-fumeurs, mais ils se défendent moins bien contre les infections. Les bactéries adhèrent de façon excessive sur les muqueuses altérées par les toxiques du tabac. Les cellules fonctionnent mal.

Ainsi, les fumeurs ont 2 à 3 fois plus de pneumonies, de pneumonies à pneumocoque, de légionelloses ou autres infections respiratoires que les non-fumeurs.

Le risque de tuberculose est plus que doublé chez les fumeurs.

Le tabac est également responsable d'un triplement du risque d'infection de la cicatrice. Si vous devez être opéré : arrêter de fumer 4 à 6 semaines avant l'intervention supprime les risques.

Le tabac est aussi responsable d'un excès d'autres infections comme la méningite à méningocoque.

**En fumant, vous forcez votre système immunitaire
à faire des heures supplémentaires.**

Avertissements sanitaires

Dans tous les pays européens sont apparus des avertissements sanitaires inscrits en grosses lettres noires sur fond blanc qui résument certains effets du tabac.

D'un côté, il est indiqué que « Le tabac tue » ou que « Fumer nuit gravement à votre santé et à celle de votre entourage », de l'autre côté est porté un des 14 avertissements ci-contre.

Ces avertissements ont contribué à changer l'image du tabac en France. Même de nombreux buralistes se sont trouvés gênés de lire noir sur blanc des vérités qu'ils connaissaient de façon confuse mais dont ils n'avaient pas toujours bien conscience.

Lisez attentivement tous ces avertissements. Ils sont tous malheureusement vrais. Comme le dit la pub :

« Vous ne mangeriez pas ce que vous fumez ! »

Apprenez ces avertissements, chaque jour gardez-en un en tête pour vous le remémorer quand une pulsion à fumer viendra stimuler votre cerveau.

Les 14 avertissements sanitaires européens

Les fumeurs meurent prématurément

Fumer bouche les artères et provoque des crises cardiaques et des attaques cérébrales

Fumer provoque le cancer mortel du poumon

Fumer pendant la grossesse nuit à la santé de votre enfant

Protégez les enfants : ne leur faites pas respirer votre fumée

Votre médecin ou votre pharmacien peuvent vous aider à arrêter de fumer

Fumer crée une forte dépendance, ne commencez pas

Arrêter de fumer réduit les risques de maladies cardiaques et pulmonaires

Fumer peut entraîner une mort lente et douloureuse

Faites-vous aider pour arrêter de fumer : téléphonez au 0825 309 310

Fumer peut diminuer l'afflux sanguin et provoque l'impuissance

Fumer provoque un vieillissement de la peau

Fumer peut nuire aux spermatozoïdes et réduit la fertilité

La fumée contient du benzène, des nitrosamines, du formaldéhyde et du cyanure d'hydrogène

La fumée du tabac dans l'environnement

Nous passons en moyenne plus de 80 % de notre temps à l'intérieur de locaux où la fumée de tabac est la principale source de pollution de l'air que nous respirons.

Si les preuves indiscutables de la nocivité de la fumée du tabac pour les fumeurs sont établies depuis plus de 40 ans, les certitudes scientifiques concernant les effets du tabagisme passif n'ont définitivement été établies que ces dernières années.

Les 3 fumées du tabac ont des concentrations très différentes en produits toxiques.

Composition de la fumée latérale

La composition de la fumée du tabac dépend de l'apport en oxygène et de la température de combustion.

Quand le fumeur tire sur sa cigarette (courant primaire), la température dépasse 850 °C et l'apport en oxygène est élevé.

Quand la cigarette se consume dans un cendrier (courant secondaire), la température baisse et l'apport en oxygène est faible.

La composition de la fumée du tabac du courant secondaire de la cigarette, qui est inhalé par l'entourage du fumeur, est ainsi plus riche en monoxyde de carbone, en goudron et en composés imbrûlés que celle qu'inhale le fumeur.

Le fumeur donne aux autres une fumée plus toxique que celle qu'il inhale directement !

L'exposition au tabagisme passif

La fumée du courant latéral est très diluée, mais le temps d'exposition dans une vie de non-fumeur est parfois important, si l'on est enfumé à son domicile ou au travail.

Lors de l'effort, le volume d'air inspiré augmente et il est particulièrement important d'être protégé de la fumée.

Selon la base de données européenne Carex, la fumée du tabac est le cancérogène respiratoire auquel le plus grand nombre de travailleurs est exposé : en France, 1 156 000 employés inhalent la fumée des autres pendant plus des 3/4 du temps de travail.

Gêne liée à la fumée des autres

Les 3/4 des non-fumeurs se plaignent d'être exposés à la fumée des autres selon une enquête de l'INPES. On relève dans cette même enquête que les 2/3 des fumeurs occasionnels et 1/3 des fumeurs réguliers de plus de 20 cigarettes par jour se déclarent également gênés par la fumée des autres. Les Français veulent respirer une atmosphère non-fumeur, c'est pour cela que 86 % d'entre eux choisissent un billet non-fumeur quand ils réservaient une place sur le TGV.

Principaux effets du tabagisme passif

La fumée du tabac provoque 3 000 morts prématurés par an chez des non-fumeurs en France.

Chez le jeune enfant, le tabagisme passif fait plus que doubler le risque de mort subite du nourrisson et augmente l'incidence des bronchites, otites, gastro-entérites et crises d'asthme.

Chez la femme enceinte, exposée à la fumée des autres, la fumée du tabac modifie le développement du fœtus.

Chez les sujets coronariens, qui doivent éviter les espaces enfumés et tout effort après exposition à la fumée du tabac, on compte 2 500 morts prématurés par an : ils payent le plus lourd tribut au tabagisme passif.

Chez les malades porteurs de maladies respiratoires chroniques, asthme, mucoviscidose, BPCO, le tabagisme passif peut être source de décompensation.

Chez tous la fumée du tabac irrite les yeux, fait mal à la tête, fatigue, picote le nez.

Les dépendances au tabac

Il n'y a pas un mécanisme unique de la dépendance au tabac, mais il existe différentes formes de dépendance qui s'entrelacent.

L'environnement social joue un rôle important dans l'initiation, la poursuite et l'arrêt.

La dépendance nicotinique est la principale cause de la dépendance. Le test de Fagerström permet de la chiffrer. Si vous devez fumer dans l'heure qui suit le lever, c'est que vous êtes très probablement dépendant à la nicotine.

La dépendance comportementale est liée à l'ancrage profond du tabagisme dans votre comportement. Que vous ayez fumé mille, dix mille, cent mille cigarettes ou plus, cela est maintenant imprimé profondément dans votre comportement.

La gestuelle est l'une des composantes de la dépendance comportementale. Elle est le plus souvent surestimée par le fumeur.

Environnement social

Fumer est lié à l'époque et au milieu social. Il est frappant de voir que chacun se comporte vis-à-vis du tabac selon son groupe social.

Après la dernière guerre, ce sont les hommes des milieux cultivés qui ont commencé à fumer plus que tous les autres. Cette même catégorie est maintenant celle qui s'arrête le plus.

Les milieux défavorisés qui ont commencé à fumer plus tard sont ceux qui fument le plus chez l'homme.

Chez les femmes, le tabagisme est maintenant à son apogée dans toutes les classes sociales.

Au Japon, les femmes ne fument pratiquement pas, alors que plus de 60 % des hommes fument. Ainsi, chacun suit son groupe.

Le fait que, depuis mai 2001, les Français s'arrêtent massivement de fumer est une formidable chance pour ceux qui s'arrêtent maintenant.

Il est beaucoup plus facile de s'arrêter de fumer dans une société qui considère que ne pas fumer est un comportement normal, est la « norme sociale ».

Les murs parlent tabac

L'environnement dans lequel on vit joue un rôle important dans le besoin de fumer. Beaucoup de fumeurs, peut être vous, allument une cigarette dès qu'ils entrent dans leur voiture, dans une pièce particulière, voire quand ils prennent un téléphone.

Récemment, on a observé une baisse du désir de tabac dans les avions. Quand il est devenu interdit d'y fumer : les premiers mois, les fumeurs étaient très perturbés ; après quelques mois, l'envie de fumer a beaucoup diminué. Dans des locaux non-fumeurs, le fumeur a peu envie de fumer.

Ces faits sont même établis chez les animaux de laboratoire. Des chercheurs ont partagé un lot de rats en 2 : un lot a consommé de la nicotine dans la cage où ils se reposaient, d'autres recevaient de la nicotine dans la cage où ils étaient placés quelques heures par jour pour « travailler ». Les deux groupes d'animaux sont devenus, en quelques semaines, dépendants à la nicotine.

Après avoir gavé les animaux de nicotine, l'ensemble des animaux est placé dans la cage de travail : ceux qui consommaient de façon habituelle de la nicotine dans cette cage se précipitent pour en prendre, ceux qui n'ont jamais consommé de nicotine dans cette cage n'avaient pas d'intérêt pour aller prendre de la nicotine.

La gestuelle souvent surestimée

Si on interroge les fumeurs sur les motifs de leur tabagisme, presque tous soulignent leur attachement à la gestuelle du tabac. Ils associent le fait de fumer à leur façon de se présenter et de se comporter en public.

Les fumeurs sont surpris de voir à quel point, avec une substitution nicotinique appropriée, l'importance de la gestuelle diminue. Ainsi, à l'hôpital, de nombreux fumeurs reçoivent des substituts nicotiniques non pas parce qu'ils ont décidé d'arrêter définitivement de fumer mais juste parce que c'est interdit de fumer à l'hôpital et que les médecins et les infirmières veulent éviter aux gros fumeurs un sevrage brutal et son lot d'inconfort.

Changer sa gestuelle avant un arrêt du tabac est cependant recommandé : dans la période où l'on se prépare à l'arrêt, changer de poche les cigarettes, ne plus fumer dans certains lieux, ne fumer que debout, ne plus fumer en prenant sa voiture, utiliser un briquet et non des allumettes, etc., sont autant de techniques qui vous aideront. Il faut casser les habitudes, se déconditionner, empêcher la prise de cigarette automatique.

La gestuelle du tabac existe, mais ce n'est pas elle qui freine le plus l'arrêt.

Êtes-vous dépendant (test de Fagerström) ?

1. Combien de temps après votre réveil fumez-vous votre première cigarette ?

Dans les 5 premières minutes ☐ 3
Entre 6 et 30 minutes ☐ 2
Entre 31 et 60 minutes ☑ 1
Après 60 minutes ☐ 0

2. Trouvez-vous difficile de s'abstenir de fumer dans les endroits où c'est interdit ?

Oui ☐ 1
Non ☑ 0

3. À quelle cigarette de la journée vous sera-t-il le plus difficile de renoncer ?

La première le matin ☐ 1
N'importe quelle autre ☑ 0

4. Combien de cigarettes fumez-vous par jour ?

10 ou moins ☑ 0
11 à 20 ☐ 1
21 à 30 ☐ 2
31 ou plus ☐ 3

5. Fumez-vous à un rythme plus soutenu le matin que l'après-midi ?

Oui ☐ 1
Non ☑ 0

6. Fumez-vous lorsque vous êtes malade et que vous devez rester au lit presque toute la journée ?

Oui ☐ 1
Non ☑ 0

Interprétation du test de Fagerström

Mon score est de

Le test de dépendance à la nicotine ou test de Fagerström permet de connaître votre dépendance :

0 à 2 : Vous n'êtes pas dépendant à la nicotine. Vous pouvez arrêter de fumer sans avoir besoin de substituts nicotiniques.

3 à 4 : Vous êtes faiblement dépendant à la nicotine.

5 à 6 : Vous êtes moyennement dépendant à la nicotine. L'utilisation de substituts nicotiniques va augmenter vos chances de succès.

7 à 10 : Vous êtes fortement ou très fortement dépendant à la nicotine. Les traitements pharmacologiques sont recommandés. Ces traitements doivent être utilisés à dose suffisante et adaptée.

Hésitants : Pesez le pour et le contre

Si vous êtes encore hésitant avant d'arrêter de fumer, il est important de prendre le temps d'ancrer votre décision.

Pour ancrer votre décision, il faut bien analyser les facteurs qui vous conduisent à fumer et les facteurs qui vous conduisent maintenant à vouloir arrêter de fumer. Ne masquez pas les avantages que vous trouvez ou avez trouvé dans le tabac. Il est important de ne pas les nier, afin de mieux combattre votre tabagisme

Un des moyens, que beaucoup de fumeurs ont expérimenté, est de prendre une feuille de papier et de marquer dans la colonne de gauche tous les avantages à continuer à fumer, à droite, tous les inconvénients à continuer à fumer.

Vous verrez, la liste de droite sera probablement la plus longue.

N'hésitez pas à faire part à vos proches du résultat de votre bilan « pour/contre le tabac ».

Fumer : avantages et inconvénients

Avantages	Inconvénients

Mesurez votre motivation (test Q mat)

1. Pensez-vous que dans 6 mois :

Vous fumerez toujours autant ? ☐ 0

Vous aurez diminué un peu
votre consommation de cigarettes ? ☐ 2

Vous aurez beaucoup diminué
votre consommation de cigarettes ? ☐ 4

Vous aurez arrêté de fumer ? ☑ 8

2. Avez vous, actuellement, envie d'arrêter de fumer ?

Pas du tout ☐ 0

Un peu ☑ 1

Beaucoup ☐ 2

Énormément ☐ 3

3. Pensez-vous que, dans 4 semaines :

Vous fumerez toujours autant ? ☐ 0

Vous aurez diminué un peu
votre consommation de cigarettes ? ☐ 2

Vous aurez beaucoup diminué
votre consommation de cigarettes ? ☑ 4

Vous aurez arrêté de fumer ? ☐ 6

4. Vous arrive-t-il de ne pas être content(e) de fumer ?

Jamais ☐ 0

Quelquefois ☑ 1

Souvent ☐ 2

Très souvent ☐ 3

Interprétation du test Q mat de motivation

Il est important de connaître sa motivation à l'arrêt.

Votre score est de

> 14

Interprétation du test Q mat

< 6 :   peu ou pas motivé

6 – 12 : motivé, à renforcer

> 12 : motivé à l'arrêt

Si celle-ci est forte, les chances de réussite sont importantes.

Si votre motivation est faible (test à moins de 12), il est préférable de renforcer votre motivation avant d'entreprendre sa tentative d'arrêt.

Mieux vaut prendre son temps pour préparer son arrêt que de se lancer sans motivation. Si vous êtes peu motivé, poursuivez la lecture du livre et refaites le test après lecture.

Nourrissez vous de vos échecs antérieurs

Si, comme beaucoup de fumeurs, vous avez déjà plus ou moins sérieusement arrêté de fumer, il est important de revivre ses échecs antérieurs afin d'en tirer toutes les informations pour, cette fois-ci, mieux éviter les obstacles. Si vous avez arrêté de fumer plus de 3 mois et que vous n'aviez plus d'aide, une reprise du tabac doit être considérée comme une rechute. Les rechutes après 3 mois sont indépendantes des méthodes d'arrêt. Une telle reprise ne doit pas être considérée comme un échec de votre arrêt. Il faut seulement identifier ce qui vous a conduit à reprendre afin d'anticiper la prochaine fois ces situations.

Si, à l'inverse, l'échec a été précoce, dans les 3 premiers mois de l'arrêt, il faut analyser l'arrêt, car si vous avez déjà essayé de vous arrêter et n'avez pas réussi, vos tentatives antérieures ont probablement échoué pour des raisons que vous pouvez identifier.

Quoi qu'il en soit, il ne faut pas considérer ces tentatives comme des échecs. Presque tous les anciens fumeurs ont essayé plusieurs fois d'arrêter avant de réussir. Vous êtes sur la bonne voie, vous avez perdu une bataille, mais vous n'avez pas perdu votre guerre contre le tabac.

Vous êtes décidé à arrêter

Bien que vous ne niiez pas ce que le tabac vous a apporté dans le passé, tous les aspects positifs ne pèsent pas lourd à coté de votre désir maintenant fort de vous débarrasser une fois pour toutes de ce fardeau qui vous brûle les poumons et vous pollue tout le corps.

Fumer uniquement pour calmer un manque lié à la dépendance va vous demander, pour un temps, un effort pour passer de l'état de fumeur à l'état de non-fumeur, mais bientôt, vous serez « naturellement » non-fumeur.

Les pics de nicotine poussent à fumer

Le fumeur chronique a un taux de nicotine dans le sang et le cerveau qui lui apporte un niveau de satisfaction. S'il est en dessous de ce taux, il éprouve un manque qui le conduit à reprendre une cigarette.

Chaque cigarette donne un pic de nicotine qui dépasse de beaucoup le niveau de satisfaction. Ces shoots de nicotine favorisent la synthèse de nouveaux récepteurs nicotiniques et leur désensibilisation, augmentant la soif de nicotine.

La plupart des cigarettes ne sont pas fumées par plaisir, mais pour éviter le déplaisir d'être en manque de nicotine, ressenti par le cerveau modifié par les shoots répétés de nicotine.

Concentration de nicotine dans le sang

niveau de satisfaction

sensation de manque

cigarettes   cigarettes   cigarettes   heures

J'ai fixé ma date
et me prépare à l'arrêt

Fixer une date

Fixer une date d'arrêt est un élément essentiel de l'arrêt du tabac.

Il faut fixer une date.

Cette date peut être une date fonctionnelle, comme le premier janvier ou le premier septembre, les deux dates les plus choisies pour l'arrêt, mais la Saint Valentin, la date d'anniversaire d'un proche, un départ en vacances sont autant de dates possibles.

Ma date d'arrêt est le

Notez cette date sur votre agenda

Ma date d'arrêt

Janv	Fév	Mars	Avril	Mai	Juin	Juil	Août	Sept	Oct	Nov	Déc
1	1	1	1	1	1	1	1	1	1	1	1
2	2	2	2	2	2	2	2	2	2	2	2
3	3	3	3	3	3	3	3	3	3	3	3
4	4	4	4	4	4	4	4	4	4	4	4
5	5	5	5	5	5	5	5	5	5	5	5
6	6	6	6	6	6	6	6	6	6	6	6
7	7	7	7	7	7	7	7	7	7	7	7
8	8	8	8	8	8	8	8	8	8	8	8
9	9	9	9	9	9	9	9	9	9	9	9
10	10	10	10	10	10	10	10	10	10	10	10
11	11	11	11	11	11	11	11	11	11	11	11
12	12	12	12	12	12	12	12	12	12	12	12
13	13	13	13	13	13	13	13	13	13	13	13
14	14	14	14	14	14	14	14	14	14	14	14
15	15	15	15	15	15	15	15	15	15	15	15
16	16	16	16	16	16	16	16	16	16	16	16
17	17	17	17	17	17	17	17	17	17	17	17
18	18	18	18	18	18	18	18	18	18	18	18
19	19	19	19	19	19	19	19	19	19	19	19
20	20	20	20	20	20	20	20	20	20	20	20
21	21	21	21	21	21	21	21	21	21	21	21
22	22	22	22	22	22	22	22	22	22	22	22
23	23	23	23	23	23	23	23	23	23	23	23
24	24	24	24	24	24	24	24	24	24	24	24
25	25	25	25	25	25	25	25	25	25	25	25
26	26	26	26	26	26	26	26	26	26	26	26
27	27	27	27	27	27	27	27	27	27	27	27
28	28	28	28	28	28	28	28	28	28	28	28
29	29	29	29	29	29	29	29	29	29	29	29
30		30	30	30	30	30	30	30	30	30	30
31		31		31		31	31		31		31

Se préparer à l'arrêt avant sa date

Dans le délai qui sépare la prise de décision de la date d'arrêt et l'arrêt effectif, il est important de se préparer à l'arrêt.

Remémorez-vous régulièrement vos bonnes raisons d'arrêter.

Imaginez comment vous vivrez tous les moments de la vie sans cigarettes après le jour de l'arrêt. À chaque occasion qui vous fait allumer une cigarette, imaginez comment vous vous comporterez sans... en téléphonant... dans la voiture... après le dîner...

Éventuellement, testez les formes orales de substituts nicotiniques pour trouver celle qui a le meilleur goût, qui est le plus facile à prendre pour vous (il en existe maintenant plus d'une douzaine de formes).

Donnez-vous quelques interdits : vous ne fumerez plus dans telle pièce ou dans la voiture, par exemple.

Organisez l'arrêt avant sa date

Organisez un surplus d'activité physique : sport ou simple marche, montée des escaliers à la place de prise d'ascenseur, etc.

Cassez vos habitudes : changez l'endroit où vous rangez vos cigarettes ou trouvez d'autres trucs pour que chaque cigarette que vous fumerez soit bien consciente, pour qu'aucune ne soit prise de façon totalement automatique. Vous pouvez par exemple changer de marque de cigarettes, troquer le briquet pour les allumettes ou vice-versa, ne plus fumer assis à votre bureau mais vous lever, ne pas fumer au téléphone.

Parlez autour de vous de votre arrêt, mais ne cherchez pas à ce que les autres décident pour vous : il faut seulement qu'ils soient là pour vous aider. Faites-vous des amis ou au moins des « non-ennemis » de votre arrêt, ce qui n'est parfois pas une mince affaire si vous êtes dans un cercle de fumeurs.

Changez vos habitudes de fumeur

Des centaines d'habitudes sont associées à votre tabagisme.

Durant le temps qui précède votre arrêt, essayez de les décoder une à une et de trouver un substitut pour chacune d'entre elles.

Que ferez-vous après le café du matin au moment où vous allumiez votre cigarette ?

Que ferez-vous dans votre voiture si vous allumiez une cigarette en démarrant ?

Que ferez-vous à la pause, au travail, alors que, jusqu'à maintenant, vous alliez avec les collègues en fumer une ?

Que ferez-vous après le repas de midi à l'heure où la cigarette vous procurait tant de plaisir ?

Que ferez-vous le soir à la fin d'un repas entre amis, quand vous aurez bu avec eux un bon vin ?

Que ferez-vous si vous avez un creux dans la journée : pensez à prendre une bouteille d'eau, une pomme ou des bonbons sans sucre.

Que ferez-vous quand quelqu'un vous aura énervé alors qu'avant vous sortiez en fumer une ? Vous sortirez quand même ? Vous ferez le tour du pâté de maison ? Vous boxerez un punching-ball ? Vous lirez une page de poésie ?

Essayez les formes orales de substituts

Il existe un inhaleur, et une douzaine de formes orales : gommes à mâcher, pastilles à sucer, pastilles sublinguales, goût naturel, goût fruit, goût orange, goût menthol, forme 2 mg, forme 4 mg, bref, un éventail de choix presque aussi grand que chez le buraliste.

Il n'y a que peu de raisons médicales de conseiller l'une ou l'autre des formes orales, même si toutes ont de petits avantages et de petits inconvénients.

Le plus simple est de discuter avec votre pharmacien, puis d'acheter des boîtes de petit format d'un ou deux types et de décider la forme que vous préférez. Il n'y a aucun obstacle à faire ces tests avant l'arrêt, simplement en remplaçant une cigarette par une gomme, un comprimé ou une pastille de façon à choisir la forme qui vous réussit le mieux. C'est en effet vous qui devez piloter votre arrêt ; même si les conseils de votre médecin ou de votre pharmacien sont essentiels, il ne faut pas hésiter à afficher vos préférences et exiger que l'on vous convainque si l'on vous demande de prendre une forme autre que celle que vous préférez.

Imaginez-vous non-fumeur

Il est important de se construire « son » monde sans tabac afin d'anticiper tout ce qui va vous arriver.

Quand vous serez non-fumeur...

- Vous vous organiserez pour ne pas manger en dehors des repas.
- Vous ne resterez pas à traîner le dimanche à table à la fin du repas.
- Si vous sortez en soirée, vous ne vous mettrez pas au même endroit que la dernière fois, mais à un endroit moins enfumé de la boîte de nuit.
- Quand vous irez au restaurant, vous demanderez une salle ou à défaut une zone « Non-fumeurs ».
- Quand vous conduirez, vous aurez des chewing-gums sans sucre à portée de main.
- Quand votre ami Jacques vous proposera une cigarette, vous lui répondrez : « Non, je ne fume plus. »
- Etc.

Comprenez les raisons
de la prise de poids à l'arrêt

Arrêter de fumer, le plus souvent, fait prendre du poids. Cette prise de poids a deux origines :

Un changement des habitudes alimentaires : avec une boulimie particulièrement évidente si on est mal pris en charge durant son arrêt.

Une modification du métabolisme : en fait, c'est le tabac qui perturbe le métabolisme. En arrêtant de fumer, on retrouve un métabolisme normal et un poids normal pour sa taille (on peut mesurer cette adéquation du poids à la taille par l'index de masse corporelle : l'IMC).

Variation de l'index de masse corporelle

L'étude de l'IMC d'une large population étudiée à deux reprises montre qu'en arrêtant de fumer, le fumeur retrouve le poids moyen des non-fumeurs.

(IMC = poids divisé par la taille au carré).

Source : d'après Williamson DE et al. N Engl J Med 1991 ; 324 (11) : 739-45

Fixez vos exigences en terme de poids

Le poids est l'angoisse du siècle. Parfois non justifié, l'IMC est bas ou normal, mais il est parfois justifié du fait d'une surcharge pondérale initiale.

IMC = poids / Taille^2

Par exemple : $\dfrac{70 \text{ kg}}{1{,}70 \times 1{,}70} = 24$ de IMC

- Si l'IMC est inférieur à 19,
  il y a maigreur excessive sur le plan médical
- Si l'IMC est compris entre 19 et 25,
  on est dans la zone normale
- Si l'IMC est supérieur à 25,
  il y a surcharge pondérale

Les femmes, surtout les plus jeunes, ont parfois l'exigence de ne pas prendre un gramme même si leur IMC initial est faible. Les hommes, en particulier après 40 ans, acceptent de prendre 2 ou 3 kg durant un temps. Le plus important, c'est de se fixer ses limites, de façon à ne pas tomber des nues si une surcharge pondérale survient. Tout est possible, mais l'exigence d'une absence totale de prise de poids nécessitera parfois des efforts supplémentaires.

Avertissez les autres

On commence à fumer en groupe avec les copains ou, pour les plus anciens, en famille ; de la même façon, on peut arrêter de fumer avec les amis ou l'entourage familial.

Quelques fumeurs préfèrent garder le secret sur leur sevrage jusqu'au plaisir d'annoncer à leurs proches qui les questionnent : « Mais ça fait 10 jours que je ne fume plus ! »

La plupart des fumeurs préfèrent, avec raison, prévenir leur entourage, au travail et en famille, en particulier tous ceux qui pourraient les aider, qu'ils n'aient jamais fumé, qu'ils soient d'anciens fumeurs ou qu'ils continuent à fumer. Une des solutions est d'arrêter de fumer à plusieurs. Cela marche particulièrement bien avec les collègues de travail. Au domicile, dans les couples, il est en revanche plus rare que l'arrêt soit simultané, mais il est souvent « coordonné », l'un attendant de voir si l'autre y arrive avant de se lancer.

Les méthodes

Il existe de nombreuses techniques pour vous aider à arrêter de fumer, mais pas de méthode miracle. C'est à vous de construire, seul ou avec un médecin ou un pharmacien, votre méthode en kit, en piochant dans les différents outils à votre disposition.

Méthodes reconnues

- Substituts nicotiniques
    - Patch
    - Gommes
    - Pastilles à sucer ou sublinguales
    - Inhaleur
- Zyban
- Thérapie cognitive et comportementale
- Autres psychothérapies

Méthodes non reconnues meilleures que le placebo

- Acupuncture, auriculothérapie, laser
- Homéopathie, aromathérapie, phytothérapie
- Hypnose

Arnaques

- De nombreuses manières de perdre vos euros.

Les substituts nicotiniques

Il existe de nombreux substituts nicotiniques disponibles.

Les formes nasales ne sont pas disponibles en France.

Les patchs sont de différents types :

Durée d'utilisation : 16h/24h ou 24h/24h,

Dose : 5, 10, 15 mg pour les 16 heures,

7, 14, 21 mg pour les 24 heures,

Les gommes nicotiniques à 2 ou 4 mg ont différents parfums. Les doses indiquées ici ne sont pas les doses délivrées mais les doses comprises dans les gommes.

Les comprimés sublinguaux ou microtabs fondent lentement sous la langue.

Les comprimés dragéifiés à sucer se dissolvent progressivement dans la bouche.

Timbres (patchs) — Différents dosages

Formes orales — Gommes
Pastilles sublinguales
Pastilles à sucer
Inhaleurs

Forme nasale — Spray nasal
(non disponible en France)

Les formes orales de substituts

La nicotine est absorbée par la muqueuse de la bouche.

L'efficacité de la nicotine libérée par la gomme est optimale lors de la mastication de la gomme ou des autres formes orales et non lors de la déglutition.

Les taux plasmatiques de nicotine obtenus sont le plus souvent moindres que ceux qui sont obtenus par la prise de cigarette.

Il faut préciser au patient que la gomme ne doit pas être utilisée comme un chewing-gum, mais, à l'inverse, mâchée très lentement, et que la salive ne doit pas être déglutie.

Le risque de transfert de la dépendance aux cigarettes vers une dépendance à la gomme ou aux autres formes orales, sans être nul, reste marginal.

Le risque d'initiation d'une dépendance par les produits de substitution est nul, contrairement à ce qui est observé avec le Subutex ou la Méthadone qui sont des portes d'entrée dans l'héroïnomanie.

**Non : les substituts nicotiniques
ne rendent pas dépendants.**

Comment prendre les gommes

Les gommes nécessitent une bonne technique de prise pour être efficaces, mais surtout pour ne pas provoquer d'effets secondaires : douleurs de la bouche, des mâchoires, douleurs d'estomac, hoquet…

Il faut prendre une gomme, la mettre en bouche, croquer une ou deux fois, puis la laisser quelque temps contre la joue.

Ce n'est que quelque temps plus tard, comme on tirerait sur une cigarette, que l'on croque une ou deux fois avant de la laisser à nouveau reposer.

Une fois terminée, la gomme doit être jetée hors de portée des enfants.

N'oubliez pas que c'est par la muqueuse de la bouche qu'est ici absorbée la nicotine.

Tout ce qui est avalé, passe dans l'estomac où la nicotine est détruite par l'acidité.

Comment prendre les autres formes orales

Les pastilles sublinguales ou microtabs sont d'usage plus simple. Une fois sortie par pression de son dispositif de distribution, la pastille est placée sous la langue et il faut l'oublier, même si certains trouvent qu'elle pique un peu. Elle va se dissoudre en 20 ou 30 minutes.

Les comprimés à sucer ne doivent pas être croqués. Il faut les laisse fondre en bouche en les suçant durant quelques secondes toutes les 2 ou 3 minutes.

L'inhaleur est rempli de sa capsule de nicotine liquide dont on peut tirer un nombre très variable de bouffées en fonction de la façon dont on l'utilise. Certains auront épuisé la cartouche en 5 ou 10 minutes après quelques dizaines de bouffées, d'autres le mâchonneront toute une matinée en tirant des centaines de microbouffées. C'est la forme qui s'adapte le mieux à vos besoins de l'instant, mais ce n'est pas la forme la plus discrète.

Toutes ces formes ont une absortion buccale, pensez-y, évitez de saliver à l'excès.

Le patch

Le patch (ou timbre, ou dispositif transdermique) a été développé pour éviter les difficultés d'usage liées aux gommes. Il a aussi l'avantage d'apporter une nicotinémie plus stable, plus favorable à la désaccoutumance tabagique.

La nicotine qui est dans le timbre va progressivement passer dans l'épaisseur de la peau, puis de la peau vers le sang et le cerveau.

Le timbre permet la meilleure observance liée à une grande facilité d'utilisation.

Pour diminuer le risque de réaction cutanée locale, il faut changer le site d'application du timbre quotidiennement.

Il existe des systèmes pouvant être portés durant 24 heures qui délivrent au maximum une dose de 21 mg de nicotine par jour et des systèmes pouvant être portés 16 heures qui délivrent au maximum une dose de 15 mg de nicotine par jour.

Les différents patchs

Les patchs ont tous le même principe mais ont des cinétiques différentes.

En France en 2004 sont disponibles 3 types de patchs.

Les patchs **Niquitin** délivrent dès la pose du matin une quantité importante de nicotine à la peau. Ils délivrent après une quantité stable de nicotine durant la journée et continuent à en délivrer toute la nuit. Ces patchs sont à réservoir, il ne faut surtout pas les couper. Il existe une forme transparente (clear).

Les patchs **Nicopatch ou Nicotinell** délivrent de la nicotine sur 24 heures. La montée du matin de la nicotine dans le sang est plus lente.

Les patchs **Nicorette** délivrent, eux, la nicotine sur 16 heures. Ils évitent ainsi la prise nocturne, mais le taux de nicotine est long à remonter le matin.

Ainsi, chaque forme de patch a des avantages et des inconvénients. Il est possible de moduler les traitements pour chaque patient.

Comment poser les patchs

Le patch est collé le matin après la douche. Il est collé chaque fois à un emplacement différent afin d'éviter l'irritation excessive de la peau.

Il faut éviter de les coller aux endroits de forte pression (fesse).

Si le patch se décolle au cours de la journée, il est possible de le recoller, au besoin en mettant un sparadrap par-dessus.

Cinétique de la nicotine sur 24 heures selon la patch utilisé

Peut-on associer patch et gomme ?

Lors de l'arrêt, l'important est de substituer en nicotine à un niveau voisin de ce qui était pris avec la cigarette. Cette quantité est difficile à déterminer *a priori*, car, avec une cigarette, certains fumeurs prennent 10 fois plus de nicotine que d'autres.

La quantité de nicotine apportée par les plus grands patchs est, pour beaucoup de fumeurs, voisine de celle qui est apportée par un paquet de cigarettes, mais chez certains fumeurs, ce sera deux fois trop de nicotine, chez d'autres, deux fois moins que nécessaire.

Quand une forte dose de nicotine est nécessaire, un des moyens le plus souvent conseillés par les médecins est l'association de patchs et de formes orales.

Sur les conseils du médecin, il est possible d'associer à un patch des formes orales de façon progressive afin de calmer les envies qui persistent, comme on le fait pour calmer les fortes douleurs des cancéreux à qui on donne de la morphine de longue durée d'action en laissant aux malades la possibilité de faire des interdoses pour calmer les douleurs persistantes. Aussi longtemps que l'on a envie de fumer, il n'y a aucun danger à associer patchs et formes orales. Ce n'est pas plus dangereux que de fumer un paquet de Marlboro par jour et de fumer en plus une Gauloise.

Les patchs sont-ils parfois dangereux ?

Non, rien à voir avec le danger du tabac. Il est toujours moins dangereux de mettre un patch que de fumer.

Les deux dangers principaux des patchs sont :

L'allergie à l'adhésif des patchs. Cette allergie à l'adhésif ou la simple irritation liée à la nicotine sur la peau est en général sans gravité. Il suffit de changer l'emplacement du patch chaque jour.

À l'inverse, si l'allergie dépasse la surface du patch pour s'étendre, il faut interrompre le traitement et prendre des formes orales. L'adhésif des différentes marques disponibles n'est pas suffisamment différent pour que, dans un cas d'allergie à l'un, on puisse conseiller d'essayer d'utiliser une autre marque.

La dépression. Elle est le deuxième risque des substituts nicotiniques ; elle n'est pas liée au produit mais à l'arrêt du tabac, qui peut réveiller une dépression latente. Si vous vous sentez déprimé, si vous aviez dans le passé une dépression sévère, il vaut mieux vous faire suivre durant la période de l'arrêt afin d'éviter de rechuter en dépression.

Mais lisez toujours la notice de votre médicament pour en savoir plus.

Les médicaments victimes
de la désinformation

À l'arrivée des gommes en 1985, des campagnes de désinformation avaient fait la première page des journaux en rapportant des crises cardiaques chez les personnes prenant des substituts nicotiniques. On sait pourtant clairement que, même en cas d'infarctus récent, les substituts nicotiniques réduisent considérablement la mortalité cardiaque dans le mois qui suit par rapport à ceux qui reçoivent un patch placebo (et qui continuent à fumer en cachette malgré l'accident).

Des campagnes du même type sont toujours en cours en Europe concernant le Bupropion (Zyban), dont on souligne les dangers.

Si l'on compare les traitements antitabac aux médicaments des maladies cardiaques, respiratoires en terme de rapport risque/bénéfice pour la santé, les produits pour arrêter le tabac sont, parmi les médicaments disponibles les plus sûrs, parmi ceux qui sont responsables du plus petit nombre d'accidents par rapport au nombre de vies sauvées.

**Ce n'est pas arrêter de fumer qui est dangereux,
c'est de continuer à fumer !**

Le Zyban (Bupropion)

Le Zyban ou Bupropion est un médicament qui était utilisé de longue date comme antidépresseur aux États-Unis et au Canada. Une psychologue soignant des malades, presque tous fumeurs, s'aperçut que certains s'arrêtaient de fumer sans même l'avoir décidé. Une étude a ensuite été conduite. Le médicament a été un peu modifié pour couvrir toute la journée et a été commercialisé. Comparé à un faux médicament (placebo), il donne deux fois plus d'arrêts de tabac.

Les effets secondaires les plus fréquents sont l'insomnie et l'allergie. De nombreux autres effets secondaires sont possibles, mais ils sont difficiles à différencier des effets liés à l'arrêt du tabac. Le risque de crises d'épilepsie, qui a été monté en épingle, est en fait voisin de celui des médicaments de même classe ; il survient dans moins de 1 cas sur 1 000 et ne se reproduit pas si l'on arrête le produit. Ce risque est à comparer au risque du tabac : une chance (quelle chance !) sur deux de mourir prématurément si l'on ne s'arrête pas !

Le Zyban, comme les substituts nicotiniques, sauve chaque année des milliers de vies. N'ayez pas peur des produits d'aide à l'arrêt : gardez votre peur pour les effets de la fumée du tabac.

Comment prendre le Zyban

En France, comme dans tous les pays, ce médicament n'est disponible que sur prescription, après consultation médicale. Le médecin aura vérifié avec vous le risque d'interaction médicamenteuse si vous prenez par ailleurs d'autres médicaments. Le Zyban est pris à la dose de 1 comprimé par jour la première semaine, puis la posologie est le plus souvent portée à 2 comprimés par jour.

L'arrêt du tabac se fait à une date fixée lors de la deuxième semaine.

En France, l'utilisation du produit est limitée à deux mois. Dans d'autres pays, comme le Canada, les autorités sanitaires autorisent une utilisation plus longue.

Il est possible d'associer le Zyban à des substituts nicotiniques si l'envie de fumer persiste. Posez la question à votre médecin.

En France, le Zyban coûte moins de 100 euros pour une boîte de 56 comprimés correspondant à 4 semaines de traitement, soit le prix d'achat d'une quinzaine de cigarettes par jour. Ce médicament n'est pas remboursé en France.

Les Thérapies cognitives et comportementales

Les thérapies cognitives et comportementales, ou TCC, sont une approche récente en psychologie.

Les thérapies cognitivo-comportementales se fondent principalement sur l'apprentissage et l'analyse des pensées.

Ces thérapies peuvent être conduites en sessions individuelles ou en sessions de groupe.

Les TCC peuvent intervenir aux différentes étapes de l'arrêt : préparation de l'arrêt, arrêt, prévention des récidives.

Les TCC comportent aussi un apprentissage de la gestion du stress et des techniques d'affirmation de soi, utiles chez les personnes anxieuses.

Autres objectifs des TCC

Les TCC ont pour objectif d'aider le sujet à se débarrasser de son comportement de fumeur, acquis dans certaines circonstances, puis maintenu sous l'impact de différents facteurs.

Les TCC visent à modifier les automatismes pour renforcer la motivation et transformer les pensées négatives en cas de trouble dépressif.

Les TCC permettent également une analyse des caractéristiques du comportement du fumeur, qui tient un journal de bord.

Les TCC visent également à construire des stratégies de résistance pour les situations à risque, élément important dans la prévention des rechutes.

Certains centres de tabacologie proposent un accompagnement en TCC, mais ils sont rares.

La psychothérapie

À côté des TCC, les prises en charge psychothérapiques sont utiles, en particulier si le fumeur présente des troubles anxieux ou dépressifs.

Beaucoup de consultations de tabacologie ont à disposition des psychologues. Dans de rares cas, certains psychologues cliniciens prennent complètement en charge le sevrage.

Même chez les sujets sans troubles anxio-dépressifs, la rencontre avec un médecin généraliste ou un autre soignant peut être une aide importante pour tout fumeur qui s'arrête.

La dépendance au tabac n'est pas que nicotinique. Une aide psychothérapique peut vous faciliter l'arrêt.

Ne craignez pas de vous faire aider.

L'hypnose

L'hypnose est une technique proposée par certains praticiens (et quelques charlatans) dans l'arrêt du tabac.

Des études comparant l'hypnose à l'absence de traitement montrent, pour différentes maladies, un succès plus important chez les sujets hypnotisés. Mais il faut noter que les personnes traitées au moyen d'un placebo (des pilules sucrées inactives) ont de meilleurs résultats que celles qui ne reçoivent aucun traitement.

Ces faits suggèrent que l'hypnose, par son pouvoir de suggestion, agit effectivement aussi bien qu'un placebo sur le corps et le cerveau. Le pouvoir de l'esprit sur le corps est bien réel. Bien orienté, l'esprit peut permettre de véritables miracles. À l'inverse, livré à lui-même, l'esprit peut tourner en rond et donner lieu à des catastrophes.

Les experts considèrent cette méthode comme une méthode n'ayant pas prouvé d'efficacité supérieure au placebo. Attention à votre portefeuille, mais si l'on y croit, l'hypnose peut aider certains fumeurs comme le font toutes les méthodes à effet placebo.

Dans ce cas, l'hypnose ou d'autres méthodes placebo vous aideront à apprivoiser votre énergie et à vous en servir pour vous débarrasser du tabac !

Homéopathie, aromathérapie et vitamines

Il existe en France des produits homéopathiques d'aide à l'arrêt du tabac.

L'homéopathie n'a que l'intérêt d'un placebo dans le contrôle tabagique. Mais là encore, pour ceux qui ont l'habitude de tels traitements et qui s'en trouvent bien, il n'y a pas de contre-indication. Il ne faut cependant pas oublier que le fait d'avoir recours à l'homéopathie vous empêche de recourir aux médicaments allopathiques qui ont prouvé leur efficacité.

Il en est de même de l'aromathérapie, qui n'a qu'un effet placebo.

Il existe chez tous les fumeurs un déficit en vitamine C. Ce déficit en vitamine C aggrave certaines atteintes comme celles de la muqueuse bronchique. Le traitement de ces maux est plus à rechercher dans l'arrêt de fumer que dans la prise de vitamines. Prendre des vitamines C ou E en arrêtant de fumer aide un peu certains sujets dans leur arrêt, mais ce supplément vitaminique n'a presque jamais d'utilité, car les carences profondes sont rares.

L'acupuncture

L'acupuncture est une technique de médecine chinoise encore utilisée en Chine, en particulier dans les provinces où les médicaments occidentaux ne sont pas accessibles. Quand ils le peuvent, les Chinois utilisent notre médecine occidentale !

L'acupuncture était une des techniques utilisées en France, il y a 20 ans, quand il n'y avait aucun traitement efficace pour aider à l'arrêt du tabac. Depuis 1985, les médicaments d'aide à l'arrêt sont apparus, d'abord les gommes, puis les patchs et le Zyban, en attendant, dans quelques années, de nouvelles molécules.

L'acupuncture n'a plus de place reconnue depuis que l'on possède des moyens plus efficaces que le placebo, car l'acupuncture ne fait pas mieux quand elle est appliquée aux bons points que quand elle est appliquée en dehors des points reconnus. Comme l'hypnose, l'acupuncture n'est qu'une méthode placebo, mais le placebo, dans l'arrêt du tabac, peut apporter un plus par rapport à l'absence de toute prise en charge. Il est important, si on utilise l'acupuncture, de ne pas refuser de prendre dans le même temps les traitements reconnus.

Il faut exiger des aiguilles à usage unique afin de prévenir le risque de SIDA ou d'hépatite.

Le laser

Le laser est une technique voisine de l'acupuncture. Elle consiste à stimuler l'oreille avec un rayon laser. Aucune preuve d'utilité n'a été apportée en dehors d'un effet placebo, dont on sait l'utilité pour développer la pensée positive et le changement de comportement.

Beaucoup de centres « laser » sont tenus par des « thérapeutes » aux diplômes exotiques et développant des pseudo-théories sur l'efficacité de leur méthode pour tout guérir. Ces centres sont régulièrement condamnés en raison de publicité promettant des résultants mirobolants : 90 % de succès, sans effort, sans prise de poids, succès garantis par huissiers, etc. Autant de tromperies.

Ne vous laissez pas abuser par des méthodes qui n'ont pas prouvé leur efficacité. Si vous voulez le faire quand même, vérifiez bien ce que cela va vous coûter.

La « méthode » Allen Carr

Cette méthode promue par un ancien financier britannique a été développée dans un livre, par des actions en entreprises et dans des centres spécialisés.

La méthode est plus une série d'incantations qu'une technique. Le seul conseil donné dans le livre est de lire l'ouvrage jusqu'au bout et sans effort : « à la fin du livre, vous avez arrêté de fumer ». L'auteur lui-même situe son taux d'échec à 15 ou 20 %, mais il précise que ce chiffre est basé sur le nombre de personnes qui lui renvoyaient le livre à l'époque de son lancement, quand il promettait « Satisfait ou remboursé si vous continuez à fumer ! » Une définition de l'échec bien loin de la réalité.

Les centres Allen Carr présentent des films et reprennent le livre en présence d'une personne qui se dit « thérapeute ». Le coût de la séance est très élevé. Si l'on veut se faire rembourser, il faut assister à deux nouvelles séances identiques avant de pouvoir constater l'échec.

En entreprise, le même principe est repris.

Malgré ces fortes limitations, certaines personnes qui y croient vraiment ont cessé de fumer en lisant le livre ou en assistant aux séances. Une nouvelle preuve que l'autosuggestion est efficace.

Quelques arnaques

Il existe de nombreuses méthodes régulièrement condamnées.

Par exemple, l'oreiller antitabac, « tellement efficace » que son promoteur raconte l'histoire du conjoint d'une de ses clientes qui s'est arrêté de fumer car l'oreiller anti-tabac avait glissé sous lui durant la nuit !

Les centres « laser » qui promettent 90 % de succès garantis sont régulièrement condamnés, et les coûts pratiqués relèvent parfois de l'arnaque.

Le filtre du Dr. ... qui détoxique la fumée de tabac de façon progressive vous conduisant sans aucun effort vers l'arrêt.

Un produit destiné à tester l'allergie au tabac est aussi régulièrement utilisé comme vaccin antitabac en France. Ce produit n'a aucune efficacité pour la protection des fumeurs, c'est seulement un test diagnostique.

Certains arnaqueurs profitent ainsi de la confusion qui existe avec des vaccins antinicotine qui sont en cours de développement mais qui ne seront pas au point avant 5 ou 10 ans, s'ils le sont un jour.

Quelques situations particulières

Il existe de nombreuses situations particulières :

- Vous êtes enceinte
- Vous êtes adolescent
- Vous êtes dans une situation précaire
- Vous êtes déprimé
- Vous êtes cardiaque
- Vous ne fumez qu'au travail
- Vous ne fumez qu'à la maison
- Vous roulez vos cigarettes
- Vous fumez le cigare
- Vous fumez parfois du haschisch
- Vous avez un problème avec l'alcool
- Vous allez être opéré
- Votre médecin du travail vous aide
- Votre généraliste vous aide
- Une ligne téléphonique vous aide
- Votre pharmacien vous aide

Principe de l'arrêt chez la femme enceinte

L'idéal est, bien entendu, de s'arrêter de fumer avant la conception et le début de la grossesse, mais les faits montrent qu'en France, de plus en plus de femmes sont fumeuses en début de grossesse, car il y a de plus en plus de femmes fumeuses dans ces tranches d'âge.

Avant le début de la grossesse, tous les moyens de l'arrêt du tabac peuvent être utilisés comme chez n'importe quel adulte fumeur.

Quand la femme fume pendant la grossesse, il est important que tous les soignants proposent en première intention l'arrêt complet.

La réduction de la consommation encore trop souvent proposée par certains médecins ou certaines sages-femmes de la vieille école.

Le conseil de réduction n'est plus justifié avec les connaissances que l'on a maintenant sur les effets du tabagisme durant la grossesse, le seul objectif à recommander est l'arrêt complet.

Vous êtes enceinte

Au cours de la grossesse, l'idéal est bien d'obtenir un arrêt sans médication, ce qui est relativement facile à obtenir chez les femmes les moins dépendantes, celles qui ne fumaient pas dans l'heure suivant le lever. Les nausées du début de grossesse aident certaines au sevrage en les dégoutant du tabac.

Si un traitement est nécessaire, ce ne peut être le Zyban qui, en France, n'est pas autorisé chez la femme enceinte (il est cependant utilisé en Amérique du nord).

Les substituts nicotiniques ne sont utilisés qu'après avis médical chez la femme enceinte. On utilise de préférence les formes orales qui ont une demie-vie courte pour éviter l'accumulation de la nicotine dans le liquide amniotique.

Mieux vaut exposer le fœtus à la nicotine des substituts qu'aux milliers de composés de la fumée de cigarette (dont le CO qui asphyxie le fœtus).

Dans tous les cas, il vaut mieux que la femme enceinte se fasse aider pour l'arrêt.

Vous êtes adolescent

On a peu de connaissances sur l'arrêt du tabac chez les adolescents.

À cet âge, le taux d'arrêt est relativement faible. Il s'agit en fait de l'abandon d'une initiation au tabagisme, avant que celui-ci ne devienne trop régulier.

La consommation concomitante de haschisch complique le sevrage car beaucoup de jeunes veulent rester fumeurs occasionnels de tabac pour aider à la combustion de la résine du cannabis. Le risque de retour à la dépendance au tabac est grand.

Le Zyban n'est légalement autorisé qu'à partir de 18 ans.

Pour les substituts nicotiniques, ceux qui ont été enregistrés par l'agence française directement sont autorisés à partir de 15 ans, ceux qui sont passés par les nouveaux circuits d'enregistrement des médicaments européens ne sont autorisés théoriquement qu'à partir de 18 ans, une différence purement administrative.

Les lieux d'accueil pour les adolescents fumeurs sont insuffisants. Des études sont nécessaires pour élaborer des techniques efficaces à cet âge.

L'arrêt simple, sans méthode particulière, marche cependant souvent chez les adoleslescents.

Vous êtes dans une situation précaire

Les personnes en situation de précarité sont particulièrement touchées par le tabagisme et ont des difficultés spécifiques à se sevrer du tabac, même en l'absence d'intoxication éthylique associée.

Les difficultés sont liées à la faible motivation à se sevrer, aux pensées négatives, au déficit de projet d'avenir.

La motivation est difficile à obtenir. Quand existent des pathologies associées, en particulier une bronchopathie chronique obstructive, une réduction du risque est possible en associant substitution nicotinique et cigarettes.

Les difficultés sont liées aussi aux difficultés financières du sevrage.

Si, en France, il est possible de bénéficier de consultations gratuites avec une aide médicale, la prise en charge des substituts nicotiniques théoriquement possible pour les précaires est en pratique très difficile. La complexité administrative en bloque dans les faits l'utilisation chez ces patients. De nouveaux dispositifs sont souhaitables et attendus.

Plus que tous autres, ces patients doivent être médicalement suivis durant leur arrêt.

Vous êtes déprimé

Les fumeurs ont trois fois plus souvent une histoire de dépression que les non-fumeurs. Il existe un risque chez certains de dépression à l'arrêt du tabac.

Si vous vous sentez déprimé, attention, ce n'est peut-être pas le moment d'arrêter de fumer. Il faut sans doute remettre l'arrêt de quelques semaines ou de quelques mois.

Allez consulter.

Le médecin prendra dans un premier temps en charge votre dépression, puis quand vous serez stabilisé, l'arrêt du tabac sera envisagé sous surveillance.

Si vous êtes en pleine déprime, les chances d'arriver à arrêter de fumer sont quasiment nulles et, de plus, cela va encore aggraver votre dépression. Il ne faut pas renoncer à arrêter de fumer, mais juste en différer la date. Vous verrez au moment où vous sortirez de votre déprime, si en même temps, vous arrivez à arrêter de fumer, votre moral remontera encore plus vite.

Vous êtes cardiaque

Beaucoup de maladies cardio-vasculaires sont liées au tabac et les sujets cardiaques sont les premières victimes du tabagisme (et du tabagisme passif).

Il est étrange de voir que beaucoup de cardiaques ont peur d'utiliser des médicaments pour arrêter de fumer, alors que, pour eux, le sevrage tabagique est urgent.

Le Zyban peut être utilisé sans réticence, sous réserve qu'avec votre médecin, vous ayez vérifié l'absence d'interaction avec les médicaments que vous prenez.

Les substituts nicotiniques peuvent maintenant être utilisés sans restriction en France, car les risques théoriques n'ont pas été vérifiés alors que le bénéfice de l'arrêt est clairement établi, diminuant la mortalité dès 30 jours après l'infarctus du myocarde. Ainsi l'infarctus qui était autrefois une contre-indication est maintenant une indication à la substitution nicotinique chez le fumeur.

Vous ne fumez qu'au travail

Pour ceux qui travaillent, le lieu de travail joue un rôle souvent important dans leur tabagisme.

Si vous avez la chance de travailler dans un lieu réellement « Non-fumeurs » car la loi Évin est respectée, ou parce que des consignes de sécurité l'imposent, l'arrêt du tabac sera pour vous plus facile. Anticipez seulement votre attitude durant les pauses qui étaient pour vous des pauses cigarette et transformez-les en pauses sans cigarette.

Si, à l'inverse, votre lieu de travail s'apparente à un fumoir, l'arrêt sera plus difficile. Si vous pouvez participer à mettre au point quelques règles au travail, cela facilitera votre arrêt (et le respect de la loi).

Toutes les entreprises qui passent progressivement en entreprises sans tabac voient leur taux de fumeurs diminuer.

Un lieu de travail « Fumeurs » pousse à être fumeur.

Un lieu de travail « Non-fumeurs » pousse à arrêter de fumer.

Vous ne fumez qu'à la maison

Il existe de rares personnes qui ne fument pas au travail et qui ne fument qu'à la maison ou que le week-end.

La plupart du temps, ces fumeurs ne sont pas dépendants de la nicotine. Ils peuvent s'arrêter de fumer pendant une semaine sans difficulté. L'arrêt du tabac est le plus souvent facile, il suffit de dire : « J'arrête ! » Malheureusement, ces cas sont de plus en plus exceptionnels. Ils concernent principalement des personnes qui ont commencé à fumer tard dans leur vie, à 25 ou 35 ans. Or, maintenant, c'est le plus souvent avant 15 ans que l'on commence à fumer, à un âge où l'on devient vite très dépendant de la nicotine, le cerveau est marqué à vie et gardera le plus souvent toujours le souvenir de cette dépendance.

Pour vous et pour les autres, il vaut mieux vous arrêter de fumer.

Vous roulez vos cigarettes

Rouler ses cigarettes ne diminue pas le risque lié au tabac mais au contraire l'aggrave. Chaque cigarette roulée est plus toxique.

La gestuelle est plus développée chez celui qui roule ses cigarettes. Vous devriez peut-être développer une gestuelle de substitution au roulage de vos cigarettes.

Arrêter de fumer quand on roule ses cigarettes pose exactement les mêmes problèmes que quand on fume des cigarettes industrielles.

La mesure de la dépendance par le test de Fagerström permet de savoir à quel point on est accroché.

Le Zyban prescrit par le médecin ou les substituts nicotiniques se prennent exactement de la même façon et pour la même durée que pour un fumeur de cigarettes industrielles.

Vous fumez le cigare

Les effets du cigare sur la santé sont un peu différents de ceux de la cigarette si l'on n'a jamais fumé que des cigares. À l'inverse quand on passe de la cigarette au cigare, on fume les cigares comme les cigarettes, le risque est identique à celui des cigarettes.

Passer de la cigarette au cigarillo est une fausse solution.

Le test de Fagerström permet de calculer votre dépendance aux cigares. En fonction de la taille du cigare, on convertira cependant le nombre de cigares en nombre de cigarettes.

Si vous n'êtes pas dépendant, ne fumez qu'un cigare de temps en temps, c'est juste votre décision d'arrêter.

Si vous fumez des cigarillos dès le matin, vous êtes dépendant comme un fumeur de cigarettes, et les techniques d'arrêt seront les mêmes que chez les fumeurs de cigares.

Vous fumez parfois du haschisch

Chez les jeunes, la consommation de haschisch est malheureusement très fréquente. Le plus souvent, la consommation est festive, uniquement une ou deux fois par mois. Bien que chaque cigarette de haschisch soit plus toxique qu'une cigarette de tabac et soit beaucoup moins responsable d'addiction, certains jeunes disent : « OK ! Je veux bien arrêter le tabac mais je veux garder la possibilité de fumer un joint lors des fêtes ! » Fumer un joint où l'on mélange tabac et haschisch expose au risque de rechute du tabagisme.

Plusieurs solutions peuvent être proposées :
- la première est, bien entendu, d'arrêter de fumer du haschisch. C'est de très loin la solution la plus recommandée ;
- la deuxième est de ne plus prendre de résine de cannabis, mais seulement des feuilles de marijuana ;
- la troisième solution est de mélanger la résine de cannabis avec des cigarettes sans tabac.

Mais rappelons-le, le commerce et l'utilisation de haschisch sont illégaux et dangereux pour la santé.

Pour le reste, l'arrêt du tabac n'est ni plus facile ni plus difficile que chez un autre. Il faut espérer que l'arrêt du tabac vous éloignera progressivement du haschisch.

Vous avez un problème avec l'alcool

Un certain nombre de fumeurs ont, ou ont eu, un problème avec l'alcool.

Aussi longtemps que le problème de l'alcool n'est pas réglé, l'arrêt du tabac est difficile ou impossible, et ce d'autant plus que la personne connaît encore des états d'ivresse.

Mieux vaut commencer par régler votre problème avec l'alcool et vous engager dans la foulée dans le sevrage du tabac.

La plupart de ceux qui ont arrêté l'un et l'autre témoignent qu'il est plus facile d'arrêter l'alcool que d'arrêter le tabac. En effet, le tabac est une drogue plus dure que l'alcool.

L'expérience de l'arrêt de l'alcool vous rendra plus fort pour l'arrêt du tabac. Au mieux, c'est l'équipe qui a aidé à s'arrêter de boire qui doit aider à arrêter le tabac. Si ce n'est pas possible, il vaut mieux de toute façon vous faire aider.

Quand on a été dépendant aux deux produits, c'est en fin de compte un sacré bonheur d'avoir réussi à arrêter l'un et l'autre.

Vous allez être opéré(e)

Si vous devez subir une opération programmée, vous n'avez plus de temps pour vous décider. Il faut arrêter d'emblée.

On sait maintenant que les fumeurs ont beaucoup plus de complications que les autres, qu'ils restent plus longtemps à l'hôpital, et que le risque d'infection des cicatrices est multiplié par 3. Et cela est vrai, qu'il s'agisse d'une opération très bénigne ou d'une opération très importante.

Donc, si vous devez être opéré(e), arrêtez d'emblée de fumer. Prenez une substitution nicotinique en adaptant rapidement les doses afin de ne plus fumer dans les quelques jours suivant le début de votre arrêt.

Lors de l'arrivée à l'hôpital, prévenez l'anesthésiste que vous venez d'arrêter de fumer et que vous prenez une substitution nicotinique. Il peut y avoir certaines précautions à prendre.

Profitez de cette intervention pour devenir un non-fumeur.

Votre médecin du travail vous aide

L'arrêt du tabac et la protection de la santé sont une des préoccupations des médecins du travail.

Ils sont aussi consultés pour le plan d'aménagement des locaux (tous les 2 ans, selon la loi) si votre entreprise a pris la décision de déroger à la règle générale qui veut que l'ensemble de l'entreprise soit « Non-fumeurs » et d'installer des fumoirs.

Certaines entreprises « Non-fumeurs » mettent à disposition du personnel des substituts nicotiniques durant les heures de travail (substitution temporaire). D'autres organisent l'arrêt du tabac de leurs employés durant les heures de travail. Le bénéfice est pour l'entreprise bien supérieur à son coût : un employé fumeur coûte de 1 000 à 3 000 euros de moins par an qu'un employé fumeur.

Pour le fumeur, pouvoir arrêter de fumer sur le lieu de travail est une chance, car le taux de succès de chaque fumeur est plus élevé du fait de la dynamique créée par le groupe qui s'arrête. De plus, le taux de rechute est diminué par rapport à un arrêt en ville.

Une entreprise « Non-fumeurs » est une chance pour tous les fumeurs qui y travaillent.

Votre généraliste vous aide

Beaucoup de médecins généralistes sont maintenant formés à l'aide à l'arrêt du tabac.

Certains ne font qu'une prise en charge minimale, d'autres acceptent de faire une prise en charge plus poussée.

Même si votre médecin ne souhaite pas faire une prise en charge complète qui, il est vrai, lui prend du temps, vous pouvez lui demander son avis et quelques conseils pour votre arrêt.

S'il n'a que peu de temps, vous pouvez, en utilisant la ligne d'appel de Tabac Infos Service en France ou une autre ligne à l'étranger, vous faire aider par ailleurs.

Le médecin vous aidera à prendre la décision d'arrêt et à choisir les méthodes d'arrêt. Il vous fera éventuellement les ordonnances nécessaires, en particulier si vous êtes sous Zyban.

Au cours de vos visites successives, il vous suivra également et vous aidera à ne pas rechuter.

Une ligne téléphonique vous aide

Des lignes d'appel ou quittline existent dans de nombreux pays.

En France, **Tabac Info Service (0825 309 310)** est une ligne d'aide à l'arrêt qui possède deux niveaux de réponse en fonction de votre demande :

- Une réponse simple par un téléconseiller.
- Une réponse plus complexe et longue par un tabacologue.

En France, des dizaines de milliers de personnes utilisent cette ligne. Au Canada, ces lignes sont également très utilisées, par les malades eux-mêmes ou par les professionnels de santé.

Ces lignes apportent une aide réelle :
- pour vous aider à décider l'arrêt,
- pour régler tous les problèmes qui se posent durant l'arrêt,
- pour vous aider à ne pas rechuter.

La réponse de Tabac Info Service

Dans un premier temps, des téléconseillers vous renseigneront, vous apporteront les aides que vous demandez sur le tabac et l'arrêt du tabac, vous donneront des conseils pour rencontrer un professionnel de santé.

Si vous voulez une aide plus précise, un tabacologue vous prendra plus longtemps au téléphone, soit directement si l'un d'eux est libre, soit il vous rappellera sur rendez-vous.

Vous pourrez aborder avec lui (ou elle) tous les aspects de votre arrêt : problèmes techniques, conseils, aide psychologique, etc.

Les tabacologues sont très compétents et certains médecins ou pharmaciens téléphonent même pour avoir des conseils pour un fumeur qu'ils aident à arrêter de fumer à leur cabinet ou à qui ils vendent des substituts nicotiniques.

Votre pharmacien vous aide

Depuis 1999, en France, les pharmaciens sont en première ligne du sevrage tabagique car ils ont l'exclusivité de vente des médicaments (ce qui n'est pas le cas dans tous les pays ; en Angleterre ou aux États-Unis, par exemple, on peut acheter les gommes à la nicotine dans les supermarchés).

En France, plus de 70 % des fumeurs qui achètent des substituts nicotiniques vont directement en pharmacie sans consulter un médecin.

Le pharmacien vous aidera à savoir si vous êtes dépendant, vous conseillera un dosage, une forme. Si vous ne devez pas hésiter à dire ce que vous préférez, écoutez aussi ses conseils.

Si le moindre problème survient sous traitement, il pourra également vous aider à comprendre ce qui se passe et vous permettre de poursuivre votre traitement dans de bonnes conditions.

Prix des traitements d'aide à l'arrêt

Attention, choisissez votre pharmacien pour acheter vos produits d'arrêt du tabac.

En France, ces produits n'étant pas remboursés, il n'y a pas de prix unique. Il peut varier de plus de 30 % pour le Zyban, pourtant sur ordonnance, et de 1 à 3 pour les patchs.

Si votre pharmacien vous vend les patchs à moins de 2 euros l'unité, c'est qu'il rogne sur ses marges et se fournit en gros. Si le patch est vendu entre 2 et 3 euros l'unité, il est dans le standard actuel en France. S'il vous vend les patchs plus de 3 euros l'unité, c'est qu'il prend des marges importantes. Libre à vous d'aller voir ailleurs, même si maintenant le patch est dans tous les cas de figure beaucoup moins coûteux qu'un paquet de 20 cigarettes.

Depuis 1999, en France, le prix moyen des patchs a légèrement baissé alors que le prix des cigarettes a fortement augmenté. L'achat d'un patch revient presque 2 fois moins cher que l'achat d'un paquet de cigarettes.

J'arrête

Aujourd'hui, vous arrêtez

Ça y est, aujourd'hui, vous arrêtez de fumer.

Vous vous êtes préparé, vous savez pourquoi vous arrêtez, vous avez fait votre test de dépendance à la nicotine, vous connaissez votre poids, vous avez défini votre stratégie, votre méthode, vous avez éventuellement acheté les médicaments Zyban et/ou des substituts nicotiniques que vous avez décidé, seul ou avec votre médecin, de prendre pour vous aider. Vos proches sont prévenus de votre arrêt, vous avez prévu de modifier votre activité physique et de modérer votre alimentation. Vous avez jeté cendriers, briquets, dernières cigarettes.

Si vous avez décidé d'arrêter avec le Zyban, cela fait déjà au moins 8 jours que vous avez commencé à prendre le produit et êtes maintenant à 2 comprimés par jour. L'envie de fumer est moins forte. Vous pouvez arrêter de fumer. Si l'envie de fumer est forte, vous pouvez sans inconvénient associer des formes orales de nicotine au Zyban afin de gérer les envies.

Si vous utilisez des substituts nicotiniques en patchs, collez votre patch le matin et mettez dans votre poche des formes orales pour la journée, si l'envie de fumer devenait trop forte.

Votre première journée sans fumer

Au cours de cette première journée vous ne pensez qu'à ne pas fumer, vous oubliez parfois l'arrêt mais rarement plus d'une heure. Votre motivation est forte.

Peut-être êtes-vous fier d'y parvenir si bien. Il ne faut pas vous laisser bercer par une certaine euphorie mais rester vigilant.

Aussi souvent que vous avez envie de fumer, vous prenez une forme orale.

- Buvez de l'eau.
- Ne prenez pas de café ou seulement le minimum.
- Ne mangez pas entre les repas.
- Pensez avant les repas à ce que vous allez manger.
- Ne vous couchez pas trop tard.

Ce jour sera pour vous un souvenir inoubliable, même dans 20 ans, c'est votre premier jour sans tabac.

Êtes-vous bien dosé en nicotine ?

Sans substituts nicotiniques, si vous n'avez aucune envie de fumer, si vous êtes un peu écœuré voire nauséeux, énervé, vous êtes peut-être en surdosage.

Demain, mettez un patch de plus petite taille : moyen si vous en aviez un gros, petit si vous en aviez un moyen.

Si vous n'avez pas envie de fumer, si vous vous sentez bien, vous êtes bien dosé.

De même, si en prenant une ou deux gommes vous êtes bien, vous prendrez la même chose demain.

Si vous prenez 8 gommes ou plus, il faudrait demander à votre médecin ou à votre pharmacien si vous pouvez associer un patch de taille intermédiaire à votre patch de grande taille.

Si vous êtes toute la journée en manque malgré 10 ou 12 formes orales et votre patch, si auparavant vous fumiez dès le réveil et si vous fumiez plus de 30 cigarettes par jour, il est parfois possible de monter à deux grands patchs par jour après avoir pris l'avis de votre médecin.

Sous dosage en nicotine

Le sous-dosage nicotinique est fréquent lors du sevrage tabagique. Il faut l'éviter au maximum, car il est source d'inconfort, d'irritabilité, de boulimie et d'une augmentation du risque d'échec du sevrage.

Alors que la plupart des fumeurs ont peur de prendre trop de substituts nicotiniques, ils négligent bien souvent le danger plus grand du sous-dosage. Ne faites pas comme eux, prenez des doses suffisantes de nicotine lors de l'arrêt. C'est déjà assez compliqué comme cela de s'arrêter de fumer sans s'imposer des contraintes supplémentaires avec une compensation insuffisante.

Le sous-dosage se caractérise par une envie de fumer avec des pulsions fortes, une irritabilité souvent plus ressentie par l'entourage que par le fumeur lui-même, une boulimie, des troubles de sommeil avec un sommeil haché.

Beaucoup d'échec du sevrage sont liés au sous dosage en substituts nicotiniques.

Surdosage et toxicité de la nicotine

La nicotine est un produit toxique, mais c'est un produit qui a une toxicité différente chez les fumeurs et les non-fumeurs.

Chez le non-fumeur, la quantité de nicotine contenue dans un seul paquet de cigarettes ou un seul patch aurait des effets toxiques importants, accélérant le pouls, faisant monter la pression artérielle, provoquant palpitations, nausées voire vomissements.

Chez un non-fumeur adulte ou adolescent fumant seulement une cigarette, ces troubles sont parfois observés.

Il ne faut absolument pas que des non-fumeurs prennent des substituts nicotiniques. Il est en particulier recommandé aux fumeurs de bien enfermer les patchs usagés pour éviter qu'un enfant joue avec.

Mais la plupart des accidents de la nicotine sont liés aux mégots des fumeurs qui sont jetés sans aucune précaution et que viennent porter à la bouche de jeunes enfants.

Surdosage en nicotine sous traitement

Chez le fumeur régulier, le nombre de récepteurs nicotiniques est considérablement augmenté après les années de tabagisme. Fumer 20 ou 40 cigarettes par jour ne provoque ni nausée, ni augmentation du pouls, contrairement à ce qui se passe avec une seule cigarette chez un non-fumeur. Prendre de la nicotine en patchs, comprimés sublinguaux, gommes ou inhaleurs quand on est un gros fumeur ne présente donc pas de toxicité.

Si la dose de nicotine utilisée est excessive, il n'y a aucune sensation de manque et les premiers signes de toxicité sont toujours bénins : palpitations, tremblements, nausées, céphalées. Ils conduisent rapidement à la diminution de dose de nicotine.

Les médecins font maintenant bien confiance aux fumeurs pour adapter eux-mêmes leurs besoins en substitution nicotinique, comme ils font confiance aux malades qui souffrent pour adapter eux-mêmes leurs doses d'antalgique.

Adaptez les doses de nicotine

Un des secrets d'un sevrage en tabac réussi, si vous arrêtez avec des substituts nicotiniques, c'est d'avoir en permanence la dose de nicotine qui vous est nécessaire dans le sang.

L'adaptation de cette dose est difficile car on ne dispose pas d'outils fiables pour mesurer les besoins. Finalement, c'est votre ressenti qui guidera au mieux l'adaptation des doses de jour en jour durant la première semaine.

Le premier jour, on teste une dose moyenne de nicotine, par patch, par exemple, mais on garde la possibilité de prendre des doses supplémentaires par voie orale si la dose délivrée au cours de la journée par le patch est insuffisante et si le manque de nicotine persiste. Il est préférable de prendre une forme orale plutôt que de prendre une dernière cigarette. Si vous en grillez une, ce n'est pas une catastrophe, ce n'est pas que vous manquiez de volonté, c'est que vous êtes en manque de nicotine car vous n'êtes pas assez « substitué ». Le surdosage est tout à fait exceptionnel quand les substituts nicotiniques sont utilisés chez un fumeur dépendant à la nicotine. La baisse des doses permet en quelques heures de faire disparaître tous les signes.

Faites de votre entourage un allié

Alors qu'il y a 20 ans, certains amis prenaient un malin plaisir à vous offrir des cigarettes quand vous essayiez d'arrêter de fumer, l'entourage des fumeurs est maintenant le plus souvent plein de bonne volonté, parfois même un peu pesant.

Quelques conseils pour vous faire aider par votre entourage

1 Annoncez votre date d'arrêt à votre entourage.

2 Demandez à être encouragé lors de l'arrêt.

3 Évitez les situations les plus tentantes lors de l'arrêt, en particulier les conditions qui vous conduiraient à boire trop d'alcool.

4 Organisez une activité physique ou sportive avec votre entourage.

5 Demandez à vos amis de vous avertir si vous devenez trop irritable (avec grande diplomatie, bien sûr !).

6 Organisez avec votre entourage une alimentation saine : plus de légumes, moins de graisses.

7 Si un de vos proches fume encore, dites-lui de vous accompagner.

8 Si vous avez des enfants, parlez de votre arrêt le soir en les retrouvant.

Surveillez votre alimentation

Il est courant de noter une prise de poids de l'ordre de 2 kg après l'arrêt du tabac, mais elle n'est pas obligatoire. Si l'arrêt est mal conduit, la prise de poids peut être plus élevée.

Le poids résulte d'un équilibre entre :
* les apports caloriques apportés par les aliments et les boissons,
* les dépenses énergétiques liées à l'activité physique courante et le sport.

La cigarette intervient sur le poids de deux façons différentes :
* elle a un effet coupe-faim,
* elle agit en augmentant les dépenses énergétiques.

Par conséquent, lorsqu'un individu fume, son poids est souvent inférieur à ce qu'il devrait être.

Lors de l'arrêt du tabac, si vous ne voulez pas prendre de poids, il faut augmenter votre activité physique et réduire vos apports caloriques.

Conseils diététiques

- Ne pas accroître vos apports caloriques.
- Gardez à portée de main :
  - un fruit ou un légume cru à croquer,
  - une boisson : eaux minérales ou non, boissons lactées, bouillons de légumes, potages instantanés, jus de fruit ou de légumes (riches en vitamines C dont le stock est souvent épuisé par le tabagisme),
  - quelques chewing-gums.

Attention : n'utilisez pas en grande quantité la réglisse qui contient une substance élevant la tension artérielle.

- Si vous avez tendance à l'embonpoint ou si vous cédez au grignotage, préférez :
  - des boissons n'apportant pas de calories : eaux minérales ou non, gazeuses ou non, eaux aromatisées, tisanes non sucrées, bouillons de légumes, boissons édulcorées et pauvres en graisses, des crèmes sans sucre,
  - des bonbons édulcorés.
- N'oubliez pas de manger lentement, de bien mastiquer pour redécouvrir avec plaisir l'odorat et le goût. Choisissez le plus souvent possible un lieu où l'on vous propose une atmosphère reposante et une installation confortable.

Activité physique

Lors de l'arrêt du tabac, il est important d'augmenter son activité physique. Mais il n'est pas non plus nécessaire de devenir un sportif professionnel.

Allez au travail en marchant, ou descendez deux stations avant l'arrivée, ne prenez pas l'ascenseur et montez les escaliers à pied, marchez une heure après le dîner. Il existe bien d'autres moyens d'augmenter l'activité physique.

Natation, course à pied, gymnastique sont autant d'activités qui sont utiles pour brûler les calories et casser le mode de vie préalable.

Il faut, pour ne pas grossir en mangeant autant qu'avant, brûler 350 Kcal de plus par jour que du temps où vous fumiez.

Ce changement d'activité physique, le changement d'alimentation et l'arrêt du tabac modifieront parfois légèrement, parfois profondément, votre style de vie, vers une vie plus saine.

La première semaine

Durant cette semaine, il faut adapter la dose de nicotine pour ne plus avoir besoin de fumer une seule cigarette.

La première semaine de l'arrêt est cruciale dans la réussite de l'arrêt.

Il existe des éléments le plus souvent très positifs :

- Votre motivation est forte.
- La réduction ou l'arrêt du tabac obtenus vous donne l'impression d'être fort,
- Les troubles sont peut-être même moins importants que ce que vous redoutiez.

Les premiers signes bénéfiques de l'arrêt doivent se faire sentir. Vous pouvez encore tousser, vous pouvez avoir un peu de mal à dormir, mais vous sentez que les choses vont mieux, que votre odorat commence à revenir, vous constatez que certains membres de votre entourage sont heureux de votre sevrage et vous aident.

Perturbation du sommeil sous traitement

En arrêtant de fumer, le sommeil est très souvent perturbé durant quelque temps, il faut le savoir et analyser les troubles du sommeil qui peuvent survenir.

Des rêves colorés sont observés au cours de la substitution nicotinique, en particulier quand on prend les patchs 24 heures. Ces rêves souvent agréables vont durer quelques semaines, puis s'estomper. Ils n'ont aucune gravité. L'activité diurne est normale. Ils sont liés à la persistance de la stimulation des récepteurs nicotiniques durant la nuit.

Le sommeil peut être haché, de durée très raccourcie, avec de nombreux rêves et une hyperactivité diurne en cas de surdosage en nicotine, invitant à ne pas utiliser de patch la nuit.

Les perturbations du sommeil qui alertent

Insomnie à l'endormissement ou au petit matin évoque un syndrome de manque si la substitution nicotinique n'est pas suffisante. Le réveil est difficile, sans tonus : il faut alors renforcer la substitution le soir, voire prendre des patchs 24 heures si vous n'aviez que des patchs 16 heures ou des formes orales.

Cauchemars avec réveils nocturnes et rumination : ils traduisent le plus souvent une poussée de dépression. Il faut analyser ces troubles et en parler à votre médecin. En effet, l'arrêt du tabac peut s'accompagner de la décompensation d'une dépression. Mieux vaut anticiper que de laisser s'aggraver la dépression. Cette dépression est plus fréquente si on est mal substitué.

Ainsi n'hésitez pas à parler à votre médecin de vos troubles du sommeil afin qu'il vous aide à les analyser.

Deuxième semaine

Il faut se méfier de la baisse de la motivation : en effet, elle peut diminuer rapidement si l'arrêt à été trop facile la semaine précédente. Relisez vos motivations à l'arrêt, le plaisir que vous aurez d'être non-fumeur à l'avenir et le plaisir que vous ferez à votre entourage.

La fumée quitte peu à peu votre corps. Il est déjà mieux oxygéné. Vos poumons se débarrassent de ses polluants. Votre odorat revient. Les saveurs des aliments changent. Le risque d'accident cardiaque ou vasculaire cérébral a déjà diminué.

Vous devez ne plus fumer une cigarette ; si vous en fumez encore une de temps en temps, augmentez vos substituts nicotiniques.

Pesez-vous pour voir si vous restez dans vos exigences de limites de prise de poids. Si vous dépassez ces exigences, faites un plan pour augmenter votre activité physique, ne rien manger en dehors des repas, et réduisez légèrement vos rations caloriques en supprimant en particulier toute prise d'alcool et de fromage.

Premiers résultats positifs

Au bout de deux semaines, les bienfaits de l'arrêt sont déjà visibles.

Regardez-vous dans la glace, votre peau est plus rose, moins grise.

Vous commencez à retrouver les odeurs, les saveurs (peut être même trop rapidement !).

Vous sentez vos poumons de façon différente. Vous commencez à penser que vous tenez le bon bout.

Si vous aviez mesuré la pollution de votre corps par le CO chez votre médecin, vous constatez que votre taux est maintenant normal. Si on mesurait la nicotine dans vos urines ou votre salive, on trouverait zéro. La drogue est partie...

Mais vos récepteurs à la nicotine sont encore trop nombreux, trop peu sensibles, vous n'êtes pas encore guéri de votre tabagisme, **vous êtes juste sur la bonne voie.**

Faut-il enlever le patch si on fume ?

Jusqu'en 1999, on répétait à la télévision qu'il ne fallait jamais fumer avec un patch et ne jamais associer gomme et patch. Ces conseils étaient basés sur le principe de précaution, car à l'époque, on n'avait que peu de données suffisantes sur la sécurité des substituts nicotiniques, ce qui rendait les médecins et les autorités sanitaires prudents sur les conseils à donner.

Depuis, les données se sont accumulées pour prouver le caractère inoffensif des substituts nicotiniques pour les fumeurs.

Il est maintenant clair pour tous que si un fumeur prend une cigarette avec un patch, car il est en manque, il ne faut pas enlever le patch, mais au contraire renforcer le traitement nicotinique.

Il serait aussi stupide d'arracher le patch à quelqu'un qui fume une cigarette que de supprimer les antalgiques à quelqu'un qui a toujours mal sous traitement de la douleur au lieu de renforcer le traitement ou d'arrêter l'insuline à un diabétique qui sous insuline a toujours trop de sucre.

Avant le sevrage, certains jours, vous fumiez peut-être une ou cinq cigarettes de plus qu'un autre jour. En terme de nicotine dans le corps, c'est exactement la même chose.

Troisième semaine

Si vous ne fumez plus depuis quatre semaines, c'est déjà une bonne victoire. Il vous faut maintenant transformer l'essai.

Le danger qui vous guette est de baisser la vigilance trop tôt. Il faut prendre son temps pour arrêter de fumer. En France, la durée de traitement recommandée est de 2 à 3 mois. En arrêtant trop précocément, vous avez plus de risques de rechuter. Ce n'est pas parce que vous avez peut-être fait l'expérience de l'oublier un jour que vous êtes tiré d'affaire. Continuez à vous faire aider. Soyez tolérant avec votre traitement même s'il vous embête, même si vous êtes maintenant persuadé de très bien pouvoir y arriver sans... C'est possible, mais c'est moins sûr que si vous arrêtez avec.

Vous commencez à être un non-fumeur, le fait devient ancré dans votre activité et dans votre vie quotidienne.

Si tout va bien, vous pouvez cependant diminuer d'un tiers vos doses quotidiennes de nicotine, mais n'hésitez pas à les remonter si l'envie de fumer revient.

Deuxième mois

Deux mois sans fumer ! Si vous êtes sous Zyban, votre traitement va bientôt finir. Si vous prenez des substituts nicotiniques, vous avez encore un mois de traitement à prendre.

Vous avez déjà affronté un certain nombre de situations à risque en confirmant votre nouveau statut de non-fumeur. Sympathique, non ?

Vous avez résisté avec succès à des situations où vous ne pensiez pas pouvoir être non-fumeur. Si une fois vous avez fumé une cigarette, ce n'est pas une catastrophe, et ceci d'autant moins que vous savez maintenant gérer ces situations avec des formes orales de nicotine.

Si vous êtes sous substituts nicotiniques, vous allez pouvoir, à la fin du mois, réduire encore d'un tiers votre traitement si vous n'avez plus aucune pulsion à fumer, mais gardez toujours des substituts oraux en poche... au cas où !

Troisième mois après Zyban

Ça y est, le Zyban est arrêté, comme il doit l'être en France une fois les deux boîtes terminées. L'envie de fumer s'est effacée.

Vous n'êtes plus fumeur.

Votre décision est claire, vous vous la répétez le matin au lever ou en voyant venir des situations tentantes pour vous : « Je ne prendrai plus jamais une cigarette ! »

Vous avez géré votre poids et votre activité physique.

Si vous vous sentez faible dans les situations à risque de reprise, gardez auprès de vous des formes orales de substituts nicotiniques, comme des gommes 2 mg ou des microtabs à faire fondre sous la langue. Si la tentation est forte, prenez une gomme ou une microtab.

Troisième mois

Bientôt 3 mois que vous ne fumez plus.

C'est le moment où vous allez abandonner progressivement tout ce qui vous a aidé à l'arrêt.

Si vous prenez toujours des substituts nicotiniques, vous êtes en phase de décroissance.

La victoire totale est proche. Si, au bout de 3 mois, on ne fume plus sans médicaments, on devient un ex-fumeur, on n'est plus un fumeur. Il faut peaufiner votre plan de prévention des rechutes.

Évitez les situations trop tentantes dans les mois qui viennent, ou, si vous pensez pouvoir vous y confronter, anticipez bien le risque de rechute, ayez des techniques d'évitement. Un moyen efficace est de garder toujours dans la poche quelques gommes à 2 mg ou d'autres substituts nicotiniques à prendre si une situation était encore trop tentante.

Poursuivre les gommes après 3 mois ?

Si vous continuez à prendre des formes orales après trois mois, c'est vraiment un inconvénient mineur. Il vaut cependant mieux consulter. Le médecin vous demandera parfois de prendre un patch faiblement dosé qui calmera vos envies aussi bien que les gommes et achèvera de vous désaccoutumer de la nicotine. En effet, la cinétique de la nicotine libérée par les patchs, plus régulière que celles des gommes, permet dans ces cas une désaccoutumance à la nicotine.

Mais, même si vous n'y arrivez pas, le risque de continuer pendant plusieurs années les substituts nicotiniques est infime par rapport au risque de reprendre le tabac.

Risque du
fumeur

Risque du
consommateur
de substituts
nicotiniques

Risque du
non fumeur

Peut-on devenir dépendant aux substituts ?

On a lu dans certains journaux que des fumeurs étaient devenus dépendants aux gommes : c'est totalement faux, c'est de la désinformation.

Oui, on peut être dépendant à la nicotine, mais la seule façon de devenir dépendant à la nicotine, c'est de fumer du tabac (ou éventuellement de le priser ou le chiquer). On n'a jamais vu quelqu'un se dire : « Tiens, j'ai envie de devenir dépendant à la nicotine. Je ne fume pas mais je vais aller en pharmacie acheter des patchs que je vais me coller pendant des mois pour essayer de devenir dépendant ! »

Non, on ne crée pas de dépendance avec des substituts nicotiniques.

En revanche, il est vrai que de rares personnes rendues dépendantes à la nicotine en fumant du tabac ont du mal à arrêter les substituts nicotiniques. Ce risque n'existe pas avec les patchs qui délivrent de façon très progressive la nicotine tout au long de la journée.

Ce risque, quand il est rencontré, survient avec les formes orales qui donnent des taux de nicotine dans le sang moins réguliers. Les pics de nicotine qui persistent stimulent la synthèse de nouveaux récepteurs nicotiniques, entraînant la dépendance.

Je ne veux pas rechuter

Le risque de rechute

Il existe un risque important de rechute quand on a arrêté de fumer depuis 3 mois.

Une personne sur deux qui a arrêté 3 mois rechute dans l'année. Passé l'année, le risque de rechute s'estompe progressivement.

Il faut donc mettre toutes les chances de votre côté en prenant ce risque de rechute au sérieux.

Ceux qui disent : « J'ai arrêté ! Finalement, cela n'a pas été difficile car je suis un peu superman (ou superwoman) ! » et qui baissent la garde sont particulièrement menacés par les rechutes.

N'oubliez pas que le tabac avait pris la commande d'une partie de votre cerveau et que votre liberté peut à nouveau être aliénée si vous ne prenez pas certaines précautions.

Le « deuil de la cigarette », comme disent les psys, doit être fait : « Plus jamais je ne fumerai une cigarette ! Même si certaines cigarettes ou cigares m'avaient fait plaisir, ils m'ont fait trop de mal par ailleurs ! »

Comme le buveur qui prenait un verre de rouge au petit déjeuner ne peut plus boire une seule goutte d'alcool sans prendre un risque considérable de rechute, le fumeur qui fumait dès le petit déjeuner ne peut plus prendre une seule cigarette sans courir un risque élevé de rechute.

Identifiez les situations de risque de rechute

Il est important dès le début de l'arrêt de bien identifier les situations de risque de rechute.

Si vous avez déjà arrêté de fumer et craqué, analysez vos rechutes ; si vous n'avez pas d'expérience en la matière, faites une enquête autour de vous auprès de fumeurs ou d'anciens fumeurs. Demandez-leur de raconter leurs arrêts et leurs rechutes ou la façon dont ils se sont sortis de situations tentantes. Il faut que vous ayez au moins 10 trucs en poche pour anticiper, contourner ou éviter les risques. Vous diminuerez ainsi considérablement les risques de rechute.

Si un de vos proches s'est arrêté en même temps que vous, faites le point régulièrement avec lui de vos expériences de tentation de rechute.

Les rechutes se font principalement dans deux situations :

1 Tout va mal, vous déprimez, ça ne va plus avec votre conjointe, vous êtes licencié, votre cher oncle vient de mourir...

2 Tout va trop bien, trop vite, et en plus, vous avez pris un peu d'alcool au cours de cette fête de famille ou entre amis, vous n'avez plus d'inhibitions, on vous propose une cigarette, juste une... et c'est reparti !

Anticipez les rechutes

La première chose à faire pour éviter les rechutes, c'est de toujours être en anticipation.

Il faut lister les principales situations de risque de rechute et anticiper votre attitude dans cette situation. Avoir un temps de réflexion devant une situation tentante est votre meilleur allié pour prévenir les rechutes.

Les situations les plus à risque pour moi ?	Mes parades dans ces situations...
1	1
2	2
3	3
4	4
5	5

Évitez les rechutes

L'évitement est une méthode simple de prévention des rechutes. Il ne faut pas hésiter à l'utiliser au début, quand on ne se sent pas encore assez sûr de soi, quand on n'a pas encore assez d'alliés pour vivre sans tabac, mais à terme, la situation peut devenir pesante.

Qu'est-ce que l'évitement ?

C'est tout simplement éviter de se retrouver dans des situations à risque :

- Je sais que si je vais en boîte de nuit, je vais boire un peu et avoir de très fortes tentations de fumer : afin d'éviter cette situation, je ne vais pas en boîte actuellement.
- Je sais qu'après un bon repas au restaurant, le café m'attire vers la cigarette : j'anticipe par un évitement ; en fin de repas, je ne prendrai pas de café.

Cette technique est très efficace, mais viendra un moment où vous aurez envie de vous faire plaisir ; n'hésitez pas à le faire, mais anticipez bien les situations à risque et armez-vous pour y faire face. Si vous êtes dans ces situations avec des proches, n'hésitez pas à demander à l'un d'eux de vous aider (avec diplomatie) à tenir votre engagement non-fumeur.

Gardez longtemps la nicotine en poche

Une des armes contre les rechutes est le port sur soi d'un substitut nicotinique oral. N'hésitez pas à le garder avec vous durant des mois.

Il aura surtout pour mission de vous rassurer : si vous avez un besoin urgent et que vous sentez que vous allez craquer, il est là dans votre poche ou votre sac.

Il peut être pris, si le besoin est réel, sans aucune conséquence sur votre santé.

À distance de l'arrêt :
- Certains fumeurs garderont toute leur vie le désir de tabac, c'est ceux qui sont le plus en danger.
- D'autres fumeurs seront dégoûtés par le tabac, ils ne tolèreront plus aucune odeur de tabac, ils sont les plus à l'abri de rechute.
- Enfin certains resteront plus indifférents au tabac, ils redeviendront réellement non-fumeurs.

Si je reprends une cigarette

Il vaut mieux éviter de reprendre une seule cigarette, mais si vous en avez repris une au cours d'une soirée un peu trop arrosée ou sur un coup de déprime, il faut stimuler votre détermination et ne pas rechuter.

Pendant quelques jours, restez très vigilant :

- Pensez régulièrement : « Non, je n'en reprendrai pas ! ».
- Remettez en route vos techniques d'évitement.
- Augmentez votre activité physique.
- Vérifiez que vous avez bien vos substituts nicotiniques oraux avec vous.
- Relisez la liste de tout ce qui vous avait conduit à ne plus fumer.
- Tout faire pour éviter la seconde et la troisième.

Bienfaits précoces de l'arrêt

Il existe de nombreux bénéfices à l'arrêt du tabac :

Au bout d'un jour
- Le pouls se ralentit.
- La pression artérielle baisse un peu.
- La pollution au CO est presque éliminée.
- Le corps est mieux oxygéné.

Au bout d'une semaine
- L'odorat revient.
- Le goût des aliments revient.
- Le poumon élimine les toxiques qui l'encombrent.
- L'activité physique est plus facile.
- Le risque d'infarctus a considérablement diminué.
- L'odeur de tabac froid a disparu.

Au bout d'un mois
- L'encombrement bronchique et la toux diminuent.
- Le risque d'infection diminue.
- La peau n'est plus grise.
- L'activité physique est plus facile.
- Le risque d'infarctus a considérablement diminué.

Bienfaits tardifs de l'arrêt

Au bout d'un an
- La muqueuse respiratoire est en grande partie reconstruite.
- Le risque de cancer commence à diminuer.
- L'éventuel essoufflement est stabilisé.
- L'athérosclérose n'évolue plus.

Au bout d'un lustre
- Le risque cardiaque a depuis longtemps rejoint celui du non-fumeur.
- Le risque de cancer du poumon a considérablement régressé.
- Le souffle est stabilisé.

Le prosélytisme : une arme
contre vos rechutes

Être généreux, attentif aux autres est finalement un bon moyen de vous occuper de vous-même.

Si vous avez réussi à arrêter de fumer, quelles que soient les difficultés rencontrées, vous êtes quelque part un exemple pour les autres fumeurs qui voudraient eux aussi, pour la plupart d'entre eux, réussir ce que vous avez réussi.

Vous, quelqu'un ne vous a-t-il pas aidé, donné l'exemple et confié quelques conseils ?

N'hésitez pas à faire profiter les autres de votre expérience en essayant de faire avancer les fumeurs dans leur désir d'arrêt.

À ceux qui fument sans se soucier de rien, faites naître le désir d'un jour arrêter.

À ceux qui se posent des questions, aidez-les à choisir une date d'arrêt et donnez-leur des conseils pour se préparer.

À ceux qui sont en train de s'arrêter, faites-leur raconter leurs difficultés et leurs succès, peut-être aurez-vous des expériences à partager.

À ceux qui ont arrêté, parlez des tentations de rechutes et des moyens utilisés pour les éviter, vous renforcerez l'un et l'autre votre détermination à être non-fumeurs.

Pour en savoir plus

Livres

S'arrêter de fumer pour les Nuls :
un guide complet pour l'arrêt du tabac dans
la collection Pour les Nuls, par David Brizer,
adaptation de Bertrand Dautzenberg.
Éditions First, 2004.

Le Rideau de fumée :
un réquisitoire contre l'industrie du tabac
et les pratiques mafieuses,
du Pr. Gérard Dubois, 2003.

Le Tabagisme :
information sur le tabac, son histoire, ses effets, par
Bertrand Dautzenberg,
Éditions Privat, 1996.

Le Tabagisme passif :
rapport à la DGS, de Bertrand Dautzenberg.
Documentation française 2002, 180 pages.

Le tabac en 200 questions :
des réponses simples à des questions simples
Béatrice Le Maître,
De Vécchi Éd., 2003.

Arrêter de fumer !
décrit le fumeur son arrêt, les freins à l'arrêt
Pr. Gilbert Lagrue
Odile Jacobs, 2000.

Sites Internet

Le site français http://jeveuxarreter.com
apporte de nombreuses informations sur l'arrêt du tabac.

Le site http://tabac-net.aphp.fr
apporte beaucoup d'informations sur le tabac.

Le site http://tabac-info.net de la Ligue nationale contre le cancer
apporte beaucoup d'informations sur le tabac.

Le réseau hôpital sans tabac
offre un site pour les professionnels mais avec de grandes
plages grand public permettant en particulier un accès
à l'annuaire des consultations de tabacologie en France.
http://www.hopitalsanstabac.org

Le site du réseau européen des hôpitaux sans tabac
comprend de nombreuses diapos pour ceux qui ont un
exposé à faire.
http://ensh.aphp.fr

Le site canadien http://www.info-tabac.ca
est un véritable portail pour le très riche réseau québécois
de contrôle du tabagisme.

Le site suisse francophone http://www.stop-tabac.ch
est un véritable site d'aide à l'arrêt en ligne.

Le site belge francophone de la Fares http://www.fares.be
donne des informations sur le tabagisme en Belgique.

Le site canadien http://www.jarrete.qc.ca
haut en couleur et interactif est une aide à l'arrêt.

Associations et téléphones en France

Écoute téléphone

- **Tabac infos service, ligne d'arrêt (TIS) :**
  0825 309 310 (0,15 euros/min).
- **Drogue alcool tabac infos service (DATIS) 113,**
  écoute sur le tabac et les autres drogues. Numéro gratuit.

Associations

- **Ligue nationale contre le cancer (LNCC).**
  Réseau de 101 comités à travers tous les départements
  français.
- **Droit des non-fumeurs (DNF).**
  Il défend les non-fumeurs.
- **Réseau hôpital sans tabac (RHST).**
  Il mobilise les professionnels de santé hospitaliers et
  les maternités : 01 40 44 50 26.
- **Office français de prévention du tabagisme (OFT).**
  Il conduit des études et formations sur l'arrêt du tabac
  et agit en entreprise : 01 43 25 19 65.
- **Alliance contre le tabac d'Île-de-France (ACTIF).**
  Il mobilise les facultés et les étudiants.

Associations et téléphones dans le monde

En Belgique

Il n'existe pas de ligne nationale d'aide à l'arrêt

La Fares est l'association belge francophone contre les maladies respiratoires. Elle a développé une importante activité anti tabac : 02 512 2936 www.fares.be

En Suisse

La ligne suisse de conseil à l'arrêt est le 0 848 88 7788

Le CIPRET de Genève-Carrefour-prévention conduit de nombreuses actions de prévention et a une boutique à Genève.

022 321 00 11 www.prevention.ch

Au Canada francophone

La ligne d'aide à l'arrêt du tabac est gratuite.

- Pour Québec : 1 888 853 6666
- Pour Terre-Neuve : 1 800 863 5864

Santé Canada a développé un site en français pour l'aide à l'arrêt http://www.gosmokefree.ca

Ce site regroupe les acteurs canadiens 1 866 318 116

Table des matières

Index